Você e a Astrologia

VIRGEM

Bel-Adar

Você e a Astrologia

VIRGEM

*Para os nascidos de
23 de agosto a 22 de setembro*

Editora
Pensamento
SÃO PAULO

Copyright © 1968 Editora Pensamento-Cultrix Ltda.

1ª edição 1968.

14ª reimpressão 2012.

Todos os direitos reservados. Nenhuma parte desta obra pode ser reproduzida ou usada de qualquer forma ou por qualquer meio, eletrônico ou mecânico, inclusive fotocópias, gravações ou sistema de armazenamento em banco de dados, sem permissão por escrito, exceto nos casos de trechos curtos citados em resenhas críticas ou artigos de revistas.

A Editora Pensamento não se responsabiliza por eventuais mudanças ocorridas nos endereços convencionais ou eletrônicos citados neste livro.

Dados Internacionais de Catalogação na Publicação (CIP)
(Câmara Brasileira do Livro, SP, Brasil)

Bel-Adar
  Você e a astrologia : virgem : para os nascidos de 23 de agosto a 22 de setembro / Bel-Adar. – São Paulo : Pensamento, 2009.

  13ª reimpr. da 1. ed. de 1968.
  ISBN 978-85-315-0722-9

  1. Astrologia 2. Horóscopos I. Título.

08-11125   CDD-133.5

Índices para catálogo sistemático:
1. Astrologia 133.5

Direitos reservados
EDITORA PENSAMENTO-CULTRIX LTDA.
Rua Dr. Mário Vicente, 368 — 04270-000 — São Paulo, SP
Fone: (11) 2066-9000 — Fax: (11) 2066-9008
E-mail: atendimento@editorapensamento.com.br
http://www.editorapensamento.com.br
Foi feito o depósito legal.

ÍNDICE

ASTROLOGIA 7

O ZODÍACO 15

VIRGEM.. 19

NATUREZA CÓSMICA DE VIRGEM.................................. 21
O elemento terra, 21. Vibração, 23. Polaridade, 25. Ritmo, 26. Fertilidade, 28. Energia mental, 28. Figura simbólica, 29. Vênus em Virgem, 30. Síntese cósmica, 31.

O VIRGINIANO 33
Como identificar um virginiano, 33. O homem e o mundo, 34. O virginiano mental, 35. O sexo, 37. A mulher de Virgem, 39. Utilitarismo, 41. Simplicidade, 42. Os pecados de Virgem, 44. Síntese, 45.

O DESTINO 47
Evolução material, 49. Família, 50. Amor, 52. Filhos, 53. Vida social, 54. Finanças, 56. Saúde, 58. Amigos, 60. Inimigos, 61. Viagens, 62. Profissões, 63. Síntese, 65.

A CRIANÇA DE VIRGEM 67

O TRIÂNGULO DE TERRA.................................... 71

AS NOVE FACES DE VIRGEM 75
Tipo Virginiano–Mercuriano, 75. Tipo Virginiano–Saturnino, 77. Tipo Virginiano–Venusiano, 80.

VIRGEM E O ZODÍACO 83
Virgem–Áries, 85. Virgem–Touro, 88. Virgem–Gêmeos, 91. Virgem–Câncer, 95. Virgem–Leão, 98. Virgem–Virgem, 102. Virgem–Libra, 105. Virgem–Escorpião, 108. Virgem–Sagitário, 112. Virgem–Capricórnio, 115. Virgem–Aquário, 119. Virgem–Peixes, 122.

MERCÚRIO, O REGENTE DE VIRGEM 127
Simbolismo das cores, 132. A magia das pedras e dos metais, 135. A mística das plantas e dos perfumes, 136.

MERCÚRIO E OS SETE DIAS DA SEMANA 139
Segunda-Feira, 139. Terça-Feira, 140. Quarta-Feira, 141. Quinta-Feira, 142. Sexta-Feira, 143. Sábado, 145. Domingo, 146.

MITOLOGIA 147
Virgem, 147. Mercúrio, 150.

ASTRONOMIA 155
A constelação de Virgem, 155. O planeta Mercúrio, 156.

ALGUNS VIRGINIANOS FAMOSOS 159

ASTROLOGIA

Mergulhando no passado, em busca das origens da Astrologia, descobre-se que ela já existia, na Mesopotâmia, trinta séculos antes da Era Cristã. No século VI a.C., atingiu a Índia e a China. A Grécia recebeu-a em seu período helênico e transmitiu-a aos romanos e aos árabes. Caldeus e egípcios a praticaram; estes últimos, excelentes astrônomos e astrólogos, descobriram que a duração do ano era de 365 dias e um quarto e o dividiram em doze meses, de trinta dias cada, com mais cinco dias excedentes.

Foram os geniais gregos que aperfeiçoaram a Ciência Astrológica e, dois séculos antes da nossa era, levantavam horóscopos genetlíacos exatamente como os levantamos hoje. Criaram o zodíaco intelectual, com doze signos de trinta dias, ou trinta graus cada, e aos cinco dias restantes deram o nome de epagômenos. Delimitaram a faixa zodiacal celeste, sendo que os primeiros passos para isso foram dados pelo grande filósofo Anaximandro e por Cleostratus. Outro filósofo, de nome Eudoxos, ocupou-se de um processo chamado *catasterismo*, identificando as estrelas com os deuses. Plutão associou o Sol a um deus composto, Apolo-Hélios, e criou um sistema de teologia astral. Hiparcus, um dos maiores gregos de todos os tempos, foi apologista fervoroso do poder dos astros, e epicuristas e estóicos, que compunham as duas mais poderosas frentes filosóficas que o homem jamais conheceu, dividiam suas opiniões; enquanto os epicuristas rejeitavam a Astrologia, os estóicos a defendiam ardentemente e cultivavam a teoria da *simpatia universal*, ligando o pequeno mundo do homem, o microcosmo, ao grande mundo da natureza, o macrocosmo.

Os antigos romanos relutaram em aceitar a ciência dos astros, pois tinham seus próprios deuses e processos divinatórios. Cícero repeliu-a mas Nigidius Figulus, o homem mais culto de sua época, defendeu-a com ardor. Com o Império ela triunfou e César Augusto foi um dos seus principais adeptos. Com o domínio do cristianismo perdeu sua característica de conhecimento sagrado, para manter-se apenas como arte divinal, pois os cristãos opunham a vontade do Criador ao determinismo das estrelas. Esqueceram-se, talvez, que foi o Criador quem fez essas mesmas estrelas e, segundo o Gênese, cap. 1, vers. 14, ao criá-las, disse:

"...e que sejam elas para sinais e para tempos determinados..."

Nos tempos de Carlos Magno, a Astrologia se espalhou por toda a Europa. Mais tarde, os invasores árabes reforçaram a cultura européia e a Ciência Astronômica e Astrológica ao divulgarem duas obras de Ptolomeu, o Almagesto e o Tetrabiblos. Na Idade Média ela se manteve poderosa e nem mesmo o advento da Reforma conseguiu prejudicá-la, sendo que dois brilhantes astrônomos dessa época, Ticho Brahe e Kepler, eram, também, eminentes astrólogos.

Hoje a Ciência Astrológica é mundialmente conhecida e, embora negada por uns, tem o respeito da maioria. Inúmeros tratados, onde competentes intelectuais estabelecem bases racionais e milhares de livros, revistas e almanaques populares são publicados anualmente e exemplares são permutados entre todos os países. Gradualmente ela vem sendo despida de suas características de adivinhação e superstição, para ser considerada em seu justo e elevado valor, pois é um ramo de conhecimento tão respeitável quanto a Psicologia, a Psicanálise, a Psiquiatria ou a Parapsicologia, que estudam e classificam os fenômenos sem testes de laboratório e sem instrumentos de física, empregando, apenas, a análise e a observação.

Os cientistas de nossa avançada era astrofísica e espacial já descobriram que, quando há protuberâncias no equador solar ou explodem bolhas gigantescas em nosso astro central, aqui, na Terra, em conseqüência dessas bolhas e explosões, seres humanos sofrem ataques apopléticos ou são vitimados por embolias; isto acontece porque a Terra é bombardeada por uma violenta tempestade de elétrons e ondas curtas, da natureza dos Raios Roentgen, que emanam das crateras deixadas por essas convulsões solares e que causam, nos homens, perturbações que podem ser medidas por aparelhos de física e que provocam os espasmos arteriais, aumentando a mortalidade. Usando-se um microscópio eletrônico, pode-se ver a trajetória vertiginosa dos elétrons, atravessando o tecido nervoso de um ser humano; pode-se, também, interromper essa trajetória usando campos magnéticos. Raios cósmicos, provindos de desconhecidos pontos do Universo, viajando à velocidade de 300 000 quilômetros por segundo e tendo um comprimento de onda de um trilionésimo de milímetro, caem como chuva ininterrupta sobre a Terra, varando nossa atmosfera e atravessando paredes de concreto e de aço com a mesma facilidade com que penetram em nossa caixa craniana e atingem nosso cérebro. Observações provaram que a Lua influencia as marés, o fluxo menstrual das mulheres, o nascimento das crianças e animais, a germinação das plantas e provoca reações em determinados tipos de doentes mentais.

É difícil, portanto, admitir esses fatos e, ao mesmo tempo, negar que os astros possam emitir vibrações e criar campos magnéticos que agem sobre as criaturas humanas; é, também, difícil negar que a Astrologia tem meios para proporcionar o conhecimento do temperamento, caráter e conseqüente comportamento do homem, justamente baseando-se nos fenômenos cósmicos e nos efeitos magnéticos dos planetas e estrelas. Um cético poderá observar que está pronto a considerar que é possível classificar, com acerto, as criaturas dentro de doze signos astrológicos mas que acha absurdo prever o destino por meio dos astros. Objetamos, então, que o destino de uma pessoa resulta de uma série de fatores, sendo que os mais importantes, depois do seu caráter e temperamento, são o seu comportamento e as suas atitudes mentais. Pode-se, por conseguinte, com conhecimentos profundos da Astrologia, prever muitos acontecimentos, com a mesma base científica que tem o psiquiatra, que pode adivinhar o que acontecerá a um doente que tem mania de suicídio, se o deixarem a sós, em um momento de depressão, com uma arma carregada.

Muitos charlatães têm a vaga noção de que Sagitário é um cavalinho com tronco de homem e Capricórnio é um signo que tem o desenho engraçado de uma cabra com rabinho de peixe. Utilizando esse "profundo" conhecimento, fazem predições em revistas e jornais, com razoável êxito financeiro. Outros "astrólogos", mais alfabetizados, decoram as induções básicas dos planetas e dos signos e depois, entusiasmados, fazem horóscopos e previsões de acontecimentos que não se realizam: desse modo, colocam a Astrologia em descrédito, da mesma forma que seria ridícula a Astronáutica se muitos ignorantes se metessem a construir espaçonaves em seus quintais. Devem todos, pois, fugir desses mistificadores como fugiriam de alguém que dissesse ser médico sem antes ter feito os estudos necessários. Os horóscopos só devem ser levantados por quem tem conhecimento e capacidade e só devem ser acatadas publicações endossadas por nomes respeitáveis ou por organizações de reconhecido valor, que se imponham por uma tradição de seriedade e rigor.

A Astrologia não é um negócio, é uma Ciência; Ciência capaz de indicar as nossas reais possibilidades e acusar as falhas que nos impedem de realizar nossos desejos e os objetivos da nossa personalidade; capaz de nos ajudar na educação e orientação das crianças de modo a que sejam aproveitadas, ao máximo, as positivas induções do signo presente no momento natal; que pode apontar quais os pontos fracos do nosso corpo, auxiliando-nos a preservar a saúde; essa ciência nos mostrará as afinidades e hostilidades existentes entre os doze tipos zodiacais de modo que possamos ter felicidade no lar, prosperidade nos negócios, alegria com os amigos e relações harmônicas com todos os nossos semelhantes. As estrelas, enfim, nos desvendarão seus mistérios e nos ensinarão a solucionar os transcendentes problemas do homem e do seu destino, dando-nos a chave de ouro que abrirá as portas para uma vida feliz e harmônica, onde conheceremos mais vitórias do que derrotas.

BEL-ADAR

O ZODÍACO

O zodíaco é uma zona circular cuja eclíptica ocupa o centro. É o caminho que o Sol parece percorrer em um ano e nela estão colocadas as constelações chamadas zodiacais que correspondem, astrologicamente, aos doze signos. O ano solar (astronômico) e intelectual (astrológico) tem início em 21 de março, quando o Sol atinge, aparentemente, o zero grau de Áries, no equinócio vernal, que corresponde, em nossa latitude, à entrada do outono. Atualmente, em virtude da precessão dos equinócios, os signos não correspondem à posição das constelações, somente havendo perfeita concordância entre uns e outros a cada 25 800 anos, o que não altera, em nada, a influência cósmica dos grupos estelares em relação ao zodíaco astrológico.

Em Astrologia, o círculo zodiacal tem 360 graus e está dividido em doze Casas iguais, de 30 graus cada. Não há, historicamente, certeza de sua origem. Nos monumentos antigos da Índia e do Egito foram encontrados vários zodíacos, sendo os mais célebres o de Denderah e os dos templos de Esné e Palmira. Provavelmente a Babilônia foi seu berço e tudo indica que as figuras que o compunham, primitivamente, foram elaboradas com os desenhos das estrelas que compõem as constelações, associados a certos traços que formam o substrato dos alfabetos assírio-babilônicos.

Cosmicamente, o zodíaco representa o homem arquetípico, contendo: o binário masculino-feminino, constituído pela polaridade *positivo-negativa* dos signos; o ternário rítmico da dinâmica universal, ou seja, os ritmos *cardinal, fixo* e *mutável;* o quaternário, que representa os dois aspectos da matéria, cinético e estático, que se traduzem por *calor e frio — umidade e secura.* Este quaternário é encontrado nas forças fundamentais — *radiante, expansiva, fluente* e *coesiva* — e em seus quatro estados de materialização elementar: *fogo, ar, água* e *terra.*

Na Cabala vemos que Kjokmah, o segundo dos três principais Sephirot, cujo nome divino é Jehovah, tem como símbolo a *linha,* e seu Chakra mundano, ou representação material, é Mazloth, o Zodíaco. Também a Cabala nos ensina que Kether, o primeiro e supremo Sephirahm cujo Chakra mundano é "Primeiro Movimento", tem, entre outros, o seguinte título, segundo o texto yetzirático: *Ponto Primordial.* Segundo a definição euclidiana, o ponto tem posição, mas não possui dimensão; estendendo-se, porém, ele produz a linha. Kether, portanto, é o Ponto Primordial, o princípio de todas as coisas, a fonte de energia não manifestada, que se estende e se materializa em Mazloth, o Zodíaco, cabalisticamente chamado de "O Grande Estimulador do Universo" e misticamente considerado como Adam Kadmon, o primeiro homem.

Pode-se, então, reconhecer a profunda e transcendente importância da Astrologia quando vemos no Zodíaco o Adam Kadmon, o homem arquetípico, que se alimenta espiritualmente através do cordão umbilical que o une ao logos e que está harmonicamente adaptado ao equilíbrio universal pelas leis de Polaridade e Ritmo expressas nos doze signos.

VIRGEM

Virgem é a sexta constelação zodiacal e corresponde ao sexto signo astrológico, governando o período que vai de 23 de agosto a 22 de setembro. É o segundo signo de terra e representa o elo entre o cálido afeto de Touro e a frieza científica de Capricórnio. Sua figura simbólica é de uma jovem que carrega hastes de trigo e sua palavra-chave é ASSIMILAÇÃO. Suas vibrações são complexas, pois tanto podem elevar como destruir, e é cosmicamente considerado como a Porta do Mundo.

De acordo com a Cabala Mística o regente celeste de Virgem é Hamaliel e na Magia Teológica a ordem dos anjos que lhe corresponde é a das Virtudes que agem sobre a materialização da energia, transformando-a nos quatro elementos: terra, fogo, ar e água. Nos mistérios da Ordem Rosa-Cruz descobrimos que as letras I.N.R.I., colocadas no madeiro onde Jesus foi torturado, indicam esses quatro elementos em língua hebraica, representados por suas iniciais: *Iam*, água — *Nour*, fogo — *Ruach*, espírito ou ar vital — *Iabeshab*, terra. A terra, portanto, elemento a que pertence Virgem, é simbolizada pelo I, quarta letra da Cruz.

Sendo um signo de terra, nos quatro Planos da Vida ele está identificado com o Plano Físico. Na magia Teúrgica vemos que ele é dominado pelos Gnomos, misteriosas criaturas que vivem no mundo subterrâneo. Nas belas palavras da oração mágica destes elevados seres podemos sentir a importância deste signo que é a Porta do Mundo:

"Nós velamos e trabalhamos sem descanso, buscamos e esperamos pelas doze pedras da Cidade Santa, pelos talismãs que estão enterrados, pela haste de ímã que atravessa o centro do Mundo. Senhor, Senhor, Senhor, tende piedade dos que sofrem..."

NATUREZA CÓSMICA DE VIRGEM

O elemento terra

O primeiro dos signos pertencentes ao elemento terra é Touro, que representa o homem desterrado do Éden, o exilado que tem de trabalhar duramente para poder alimentar a si e aos seus e se agarra à companheira e aos filhos porque existe nele o grande medo da solidão. Adão e sua companheira, ao serem expulsos do paraíso, foram condenados a viver e a multiplicar-se em meio a dores e trabalhos; tudo deveria custar-lhes penoso esforço, mas sua luta seria compensada e os frutos obtidos assemelhar-se-iam aos do Éden perdido. É assim que a terra de Touro deve ser encarada, como meio fecundo e grato, em que a cada semente plantada corresponderá uma flor, um fruto, uma alegria; por essas induções os taurinos são amorosos, laboriosos, constantes no trabalho, no amor ou no ódio e extremamente apegados à família.

Ao cristalizar-se no signo de Virgem, a energia coesiva do elemento terra assume outra característica que, embora intimamente ligada à de Touro, já tem sua estrutura abalada pela inquieta vibração de Mercúrio, seu planeta regente. A criatura nascida sob esta influência deseja desprender-se da terra, deixar de ser seu escravo e tornar-se senhor, mas suas raízes foram profundamente lançadas em Touro e ela não consegue libertar-se totalmente; ela continua subconscientemente agarrada a ela e se debate em constante luta íntima.

Isso provoca uma curiosa divisão nos tipos deste signo, sendo uns determinados pelo elemento terra e outros influenciados por Mercúrio, que é muito vibrátil e de natureza aérea, por sua constituição quente-úmida; assim, temos o virginiano terrestre, ou material, e o virginiano mercuriano, ou mental, correspondendo a cada um uma personalidade distinta e ações e reações bem diversas. Os que recebem as indicações materiais, terrestres, são primitivos em seus instintos, impermeáveis aos sentimentos superiores e imensamente egoístas, estando o *eu* acima de todas as outras coisas. Os que são sensíveis às vibrações mentais, tanto podem ser os colaboradores excepcionais, laboriosos, inteligentes e constantes como os criadores geniais, capacitados para idealizar e concretizar os mais audaciosos projetos.

Virgem pode determinar, também, dupla personalidade aos seus nativos, criando os tipos que ficam suspensos entre o céu e o inferno, entre o espírito e a matéria; esses virginianos são contraditórios, castos e despudorados, generosos e mesquinhos, covardes e agressivos e vivem sentindo-se permanentemente infelizes e fazendo também a infelicidade alheia porque não podem ver nada estável, perfeito ou nobre.

Este signo, por suas elevadas induções cósmicas, proporciona grande inteligência e excepcional compreensão do papel do indivíduo em relação à sociedade. O virginiano, quando positivo, tanto poderá viver escravizado a um trabalho ou a um ideal, concentrando nele sua energia e sua inteligência, como poderá anular-se, sacrificar-se, em benefício de outras pessoas. Os tipos negativos, se não se dispuserem a transformar suas vibrações, terão sempre uma posição de inferioridade, pois serão amarrados pela ação limitadora do elemento terra.

Vibração

Virgem é um signo de natureza instável, e sendo setor zodiacal cadente tem o trabalho de realização e concretização de atos e obras materiais. Seu movimento vibratório é espasmódico, oscilando entre dois pólos diferentes, o que vem acentuar a instabilidade íntima de muitos dos seus nativos ou vem imprimir neles a tendência de anular-se por um ideal ou uma afeição.

Os tipos menos positivos refletem essas vibrações e as transformam em temor, vacilação, incerteza e inconstância. Nos tipos mais evoluídos elas indicam adaptabilidade, intensa atividade mental, curiosidade e capacidade criadora e imaginativa.

Pelo fato de ter como signo natal um setor zodiacal cadente, o virginiano corre sempre o risco de atrofiar sua personalidade quando se defronta com outras pessoas de vontade mais poderosa. Pode, também, deixar fenecer suas qualidades mentais, acostumando-se a que outros pensem por ele. Possuindo brilhante e inesgotável energia criadora e realizadora, certos nativos de Virgem deliberadamente estancam esse divino poder, procuram a sombra, fogem das responsabilidades; isto às vezes é produto de uma educação deficiente, mas outras é causado pelo medo da luta, como o de certas virgens que fogem ao casamento porque têm medo da dor de ser mãe.

O virginiano negativo é muito contraditório, mostrando-se, às vezes, bronco e rude e, em outras ocasiões, surpreendendo a todos com insuspeitadas qualidades de inteligência e amabilidade. Às vezes dedica-se ardentemente a um trabalho para depois demonstrar enorme preguiça, o que nele é sempre falso, é uma forma de fuga, pois a laboriosidade é característica dominante nos signos de terra. Preferem os postos humildes, as posições subalternas e, quando além de negativos são espiritualmente pouco evoluídos, vingam-se sabotando, odiando em silêncio e procurando tudo o que reconhecem não possuir em si mesmos.

Polaridade

Como signo de terra, o signo de Virgem tem polaridade negativa ou feminina. Tudo contém dois pólos ou faz parte de um deles, o masculino e o feminino, o ativo e o passivo. Em astrologia, estes termos, quando empregados em relação aos signos ou planetas, não indicam sexo, debilidade ou exaltação, mas identificam o pólo que está em ação. Os adjetivos positivo e negativo, quando usados em relação aos indivíduos, indicam sua qualidade moral ou sua capacidade volitiva e acional.

Como signo de polaridade passiva, Virgem tem o poder de captar, ordenar e complementar. Em virtude, todavia, da influência de Mercúrio, que é altamente vibrátil e de natureza neutra, os virginianos tanto poderão demonstrar a poderosa energia de um nativo pertencente a um signo de fogo, como a passiva e submissa qualidade da vibração terrestre, que faz o indivíduo curvar-se ante os mais fortes e só levantar-se para lutar pelas necessidades fundamentais: comida, abrigo, sexo.

Mercúrio, ao dominar sobre este setor zodiacal, proporciona inteligência brilhante, facilidade para entender e fazer-se entender e muita habilidade para lidar com a criatura humana. Como este planeta domina sobre a palavra, escrita e falada, os virginianos tanto poderão escrever obras científicas ou romances de ficção como demonstrar a capacidade de camelô, que é capaz de fascinar a multidão com sua fala ininterrupta ou a mestria do orador que, de uma tribuna, magnetiza a assistência mais exigente.

O inquieto e dispersivo Mercúrio, todavia, tem suas vibrações transformadas quando se manifesta nos tipos inferiores deste signo. Aqui, então, cristalizam-se algumas das mais graves debilidades de Virgem, que podem determinar os virginianos apáticos, os timoratos, os tagarelas incorrigíveis e, sobretudo, os intrigantes. Todos esses tipos, induzidos pela polaridade passiva, não têm força e coragem para lutar e podem reagir de duas formas: ou se submetem a tudo e a todos ou, então, sob uma aparência gentil ou indiferente, escondem o ódio, espalham a intriga e procuram destruir tudo quanto vêem de superior nos outros.

Ritmo

Na harmonia universal o ritmo se divide em três manifestações; ele é evolutivo no tempo, formativo no espaço e cinético no movimento. Suas duas forças básicas, atividade e inércia, ou seja, impulso e estabilidade, criam uma terceira, a mutabilidade, que representa o equilíbrio entre as duas principais. Sendo Virgem um signo de ritmo mutável, ele determina oscilação mental e emocional em seus nativos e proporciona uma natureza inquieta, curiosa, crítica e progressista.

O virginiano é muito variável nas ações e pensamentos, oscilando sempre entre a razão e a emoção, a atividade e a inércia, o entusiasmo e a depressão. Gêmeos e Sagitário, dois signos que têm o mesmo ritmo de Virgem, dão extrema adaptabilidade aos seus nativos, que se acomodam às situações, mas não são absorvidos por elas porque pertencem a signos positivos, de ar e fogo. Já os virginianos, com a passividade do elemento terra, correm o risco de ter sua personalidade completamente anulada, por lhes faltar estabilidade mental e emocional.

Nos tipos superiores esta constante rítmica imprime a marca da curiosidade insaciável, da imaginação fértil, da pesquisa científica e impele seus nativos para a frente, em busca sempre de algo melhor e mais perfeito, porque tudo o que eles têm lhes parece insatisfatório ou insuficiente.

Fertilidade

Uma virgem é uma mulher, mãe e amante em potencial; mas é casta, ainda não foi iniciada nos mistérios do sexo, não se operou nela o milagre da geração e é estéril porque ainda não foi fecundada. Para os antigos judeus, virgindade e esterilidade tinham quase o mesmo sentido, pois eles chamavam de virgem toda mulher que, mesmo casada, ainda não tivesse gerado filhos.

Virgem é considerado um signo estéril, mas nele existe toda a maravilhosa promessa de multiplicação que se encerra numa jovem. Os virginianos, se o quiserem, podem ser como a bíblica figueira ou podem dar os mais preciosos frutos e flores, seja em realizações materiais, em obras artísticas ou intelectuais ou em amor, muito amor.

Um signo que não é fecundo tanto pode indicar pouca ou nenhuma descendência como também pode determinar falta de afeto e indiferença, dando aos seus nativos um coração árido, incapaz de abrigar qualquer sentimento elevado ou altruístico.

Energia mental

A vibração de Mercúrio dinamiza extraordinariamente a inteligência proporcionando ao indivíduo a faculdade de perceber, compreender, assimilar, analisar e transmitir e prometendo-lhe sucesso na ciência, na arte, na política, na literatura, no comércio, em todas as atividades em que seja necessário unir o poder mental à arte de falar e escrever e à capacidade de criar e dar forma e estrutura a essas criações.

O elemento terra conduz à abstração, à intelectualização, à análise em termos de experimentação e nunca filosóficos ou metafísicos. Pela soma de suas qualidades cósmicas, e pelas vibrações terrestres e mercuriais, Virgem é considerado um signo científico. O virginiano pode chegar às mesmas conclusões que o intelectual sagitariano, o sensível libriano ou o místico nativo de Peixes, mas elas serão sempre determinadas por suas observações e nunca por sua intuição.

Comparando, estabelecendo analogias, pesquisando os detalhes e analisando o conjunto, o nativo de Virgem, pertencendo ao tipo mental, poderá ser um gênio; pertencendo ao tipo terrestre poderá ser um mexeriqueiro, pois sua tendência principal será a de encarar todas as criaturas como cobaias de laboratório, nas quais analisará somente os defeitos e nunca as qualidades.

Figura simbólica

O símbolo de Virgem é humano, pois este signo é representado por uma bela jovem mitologicamente associada a Astréia, filha de Têmis, a Justiça. No Brasil, ele marca o fim do inverno, quando a terra já começa a mostrar os primeiros rebentos verdes, a natureza ensaia suas cores e perfumes nas primeiras flores que se abrem ao contato das fecundas chuvas da primavera.

As estrelas de Virgem podem determinar grande pureza e elevação. Podem proporcionar arte e sensibilidade, ambição e poder mental. O zootipo superior é o de uma figura cheia de juventude e beleza; o zootipo inferior pode ser a raposa ou a toupeira, o primeiro vencendo pela malícia, o segundo escondendo-se porque tem medo do sol.

Como todos os signos humanos, Virgem dá o dom da voz e o domínio sobre os gestos; quem nasce sob sua influência pode magnetizar e subjugar pela palavra, pela interpretação ou pela mímica.

Vênus em Virgem

Vênus, o planeta do amor e da sensibilidade, encontra campo magnético desfavorável em Virgem, onde seus raios se inibem e se deprimem. Como conseqüência, mesmo os virginianos mais afetivos dificilmente exteriorizam seus sentimentos e, quando negativos, o amor para eles sempre tem papel secundário, estando em primeiro lugar os interesses materiais.

Esta depressão de Vênus também faz com que muitos nativos de Virgem se inclinem ao celibato ou sintam aversão pelo ato sexual. Outros virginianos procuram ingressar em claustros ou conventos ou então dedicam-se a trabalhos em hospitais, sanatórios etc., onde se pode ter afeto, mas nunca amor, pois os doentes induzem à compaixão mas não despertam desejo.

Síntese cósmica

Por suas qualidades naturais, Virgem é um signo que oferece aos seus nativos as mais elevadas possibilidades. Dá-lhes a resistência às transformações, a capacidade de estruturar, a profundidade e a lógica, que são atributos do elemento terra. Dá-lhes o poder de absorver e transmitir, impressionar pela palavra e pelo gesto e de utilizar toda a energia mental contida nas vibrações de Mercúrio, que é o planeta da inteligência. Torna-os, enfim, aptos para as mais arrojadas realizações materiais, os mais complexos trabalhos científicos ou os mais elevados empreendimentos artísticos ou intelectuais.

Virgem marca a metade exata do zodíaco. Pode ser considerado como a Porta do Mundo, pois a partir do signo seguinte, Libra, o indivíduo deixa de viver só e procura a sua complementação, física ou espiritual, e a sua integração com os semelhantes; está nas mãos do virginiano retroceder e viver trancado em si mesmo ou atravessar esse portal e substituir o *eu* pelo *nós*, o egoísmo pelo altruísmo, a matéria pelo espírito.

O VIRGINIANO

Como identificar um virginiano

Faz as coisas com exatidão

Gosta de caixas e as coleciona

Empilha as coisas

Símbolo: a virgem

Planeta regente: Mercúrio

Casa natural: sexta casa

Elemento: terra

Qualidade: mutável

Regiões do corpo: intestinos

Pedra preciosa: safira

Cores: azul-marinho, marrom escuro, cinza

Flor: peônia

Frase-chave: eu analiso

Palavra-chave: assimilação

Traços da personalidade: guerreiro, modesto, diligente, confiável, crítico, prático, cauteloso, previsível, metódico, tímido, eficiente, orientado para os detalhes

Países: Brasil, Grécia, Turquia, Suíça

Coisas comuns regidas por Virgem: mercúrio, listas, grãos, colheita, livro, animal de estimação, primeiros socorros, menu, escrivaninha, local de trabalho, trabalhos de costura, refrigerador, armários

O homem e o mundo

Nos seis primeiros signos do zodíaco o indivíduo age antes impelido por seus parentes de sangue e depois então, já condicionado pela educação recebida e pelas influências de seu meio, passa a agir sozinho, apura sua personalidade, constrói sua fortuna e gera seus filhos. Tudo isso é transitório, nada lhe pertence realmente mas, para ele, essas realizações têm um valor imenso porque representam conquistas do seu *eu*.

Psiquicamente Virgem é um signo de grande importância, pois é o portal que o indivíduo deverá atravessar para percorrer os seis setores seguintes, onde não agirá mais sozinho. Na outra metade do zodíaco ele se defrontará com os estranhos que penetrarão em sua vida, com quem irá contrair matrimônio e partilhar seu corpo e sua alma, suas alegrias e suas dores, com os amigos que lhe trarão prazer e com os inimigos que procurarão derrubá-lo; verá, também, suas ações e suas qualidades, morais e intelectuais, pesadas e medidas por seus semelhantes, que lhe darão a recompensa merecida ou o castigo justo.

Esse mundo desconhecido inspira temor a muitos virginianos que, para não enfrentá-lo, adotam uma destas duas táticas: ou se anulam, procuram posições inferiores e se escondem na sombra porque sabem que as plantas rasteiras não são derrubadas pelas tempestades, ou então assumem uma atitude infantil que carregam a vida inteira, deixando que os outros pensem por sua cabeça, assumam a direção de sua existência e resolvam todos os seus problemas. Justamente o contrário é que deve ser feito. O virginiano não deve temer o mundo porque tem armas suficientes para enfrentar e vencer. Tem que aprender a libertar-se das raízes familiares e associar-se à humanidade. Precisa dominar o egoísmo, unir-se aos seus semelhantes, comungar com quem será sua companhia no matrimônio, partilhar os bons e os maus momentos com os amigos, defender-se dos inimigos, lutar para ter uma posição respeitável na sociedade; realizar-se, enfim, espiritualmente e materialmente, por meio de todas as brilhantes qualidades conferidas pelas estrelas de Virgem.

O virginiano mental

Os tipos evoluídos e positivos de Virgem unem a vibrante inteligência proporcionada por Mercúrio à obstinada força construtiva induzida pelo elemento terra. São dotados de grande lucidez mental, muito senso crítico e um raciocínio excelente, claro, lógico e justo.

Apesar de sua poderosa capacidade criadora, seu poder mental sempre se baseia na análise e na comparação. Colocados no meio da triplicidade dos signos de terra, a influência de Touro e de seu regente, Vênus, vem torná-los perceptivos, receptivos e sensíveis enquanto as vibrações de Capricórnio e de seu senhor, Saturno, vêm lhes dar concentração, profundidade e reflexão.

As elevadas induções de Virgem, portanto, produzem tipos extraordinariamente capacitados para todas as atividades, especialmente as intelectuais. Estes virginianos são tão lúcidos e possuem tão desenvolvida percepção que podem dominar instantaneamente qualquer assunto, por mais estranho que seja. Assim como possuem extrema habilidade para fazer planos e gerar teorias, sabem com inigualável aptidão fazê-los funcionar na prática. Sua mente é engenhosa, inventiva, audaciosa e original embora, na maioria das vezes, não exteriorizem essas qualidades em suas atitudes ou palavras; somente quando se dedicam à Literatura, à Arte, à Ciência ou a qualquer atividade criadora é que deixam transparecer sua verdadeira personalidade.

Pertencendo ao tipo mental, os virginianos têm a fortuna de possuir um dos mais perfeitos maquinismos mentais. Eles sabem discernir o original da cópia, separar o bom do ruim, julgar com isenção de ânimo e premiar com imparcialidade. Tendo um coração cálido, eles possuem um raciocínio frio, agudo, objetivo. Reúnem os opostos em dose perfeita, o que os deixa bem perto da sabedoria. São místicos, porém racionais. Amam os planos gerais, porém, jamais desprezam os pequenos detalhes. Combinam o ideal com o objetivo mais prático e sabem separar o que é necessário à matéria e o que é indispensável ao espírito. Unem a fria e coesiva influência do elemento terra com a expansiva e quente vibração mercuriana; essa conjunção resulta num superior processo de pensamento, capaz de entender o grande e o pequeno, o átomo e o universo, o Criador e a criatura. Somente um indivíduo possuidor dessas qualidades poderia deitar-se no chão horas seguidas, sentar-se em silêncio, manter o corpo imóvel e pôr toda a sua potência intelectual em atividade para aprender, entender e depois explicar o perfeito sistema social da vida das abelhas, térmitas e formigas como o fez o virginiano Maurice Maeterlinck.

O sexo

Os virginianos podem estar sujeitos a problemas de ordem sexual, em virtude da crítica posição de seu signo; quando termina o domínio de Virgem tem início o signo de Libra, o sétimo setor zodiacal, que representa a complementação seja pelo casamento ou pelas uniões e associações.

Quando o nativo de Virgem é emotivamente equilibrado e recebeu uma educação adequada, seu comportamento sexual, do ponto de vista afetivo ou biológico, naturalmente será normal. Quando, porém, ele pertence ao tipo instável, Virgem tanto poderá determinar desenfreada sensualidade como poderá marcar seus nativos com o complexo de castidade. Existem muitos celibatários neste signo, o que tanto pode ser determinado pela aversão ao ato sexual ou pelo desejo egoísta de ser só e não ter de compartilhar nada com os outros.

Este signo pode determinar, nos seus tipos negativos, estranhas situações na vida amorosa. Às vezes um virginiano jamais se casa porque alguém abusou de sua boa fé e isso lhe deixou o receio de uma nova desilusão; outras vezes, revoltado contra uma situação matrimonial insatisfatória, que não tem a coragem de romper, sente-se compelido a manter relações ilícitas com outras pessoas, mais por vingança do que por necessidade.

Há muitas promessas de imensa felicidade no signo de Virgem, mas elas estão reservadas apenas aos virginianos de vontade positiva. Os tipos negativos nunca serão donos de sua própria vida, e o sexo, para eles, em lugar de ser a divina função que faz de cada homem um semideus, porque lhe dá o poder de criar, passa a ser o seu castigo; por lhes faltar energia para dizer *não*, poderão entregar-se a qualquer criatura e iniciar uma caminhada descendente que nada poderá deter; por lhes faltar coragem para dizer *sim*, poderão condenar-se a uma vida árida e solitária.

A mulher de Virgem

Todas as coisas ditas sobre Virgem aplicam-se tanto aos homens como às mulheres nascidas sob sua influência. A personalidade das virginianas, porém, possui nítidos e delicados recortes que bem merecem ser apontados. Elas são mais sensíveis, emotivas, delicadas e gentis do que seus irmãos de signo. Elas têm instintiva delicadeza, sabem mover-se com elegância e, às vezes, são fascinantes tipos de beleza.

Em oposição aos homens deste signo, que são muito práticos e objetivos, a virginiana quase sempre é muito romântica. Seu maior desejo é casar-se, não porque a vida com um homem a atraia, mas, sim, porque necessita ser cortejada e desejada, quer vestir-se de noiva e ver realizada, em si, a imagem tão familiar da Virgem com um filho nos braços. Sempre associa o amor com o sacrifício e, por isso, freqüentemente não escolhe com muito acerto o seu cônjuge e seu casamento resulta num fracasso. Às vezes une-se a um homem que não trabalha, que bebe ou que é doente e, assim, movida pelo romântico desejo de cuidar, auxiliar e regenerar, acaba condenando-se a uma vida muito infeliz.

Raras vezes a nativa de Virgem amadurece muito cedo, pois nela sempre existe o desejo de se conservar menina por longo tempo. Quando, porém, alcança a maturidade física e espiritual, dificilmente se encontra outro tipo astrológico tão doce, agradável, afetivo, sensível e compreensivo, pois, além de seus dotes naturais, ela possui, ainda, a faculdade de saber dominar sem impor, de modo aparente, a sua vontade.

Mercúrio rege as mãos, a expressão e a palavra. Certas virginianas encantam por seus gestos elegantes, por suas mãos belíssimas, das quais sempre sentem orgulho, e por seu modo agradável de dizer todas as coisas. Virgem pode proporcionar esquisita personalidade, e suas nativas, embora muitas vezes não sejam belas, dificilmente são tipos comuns. Para bem exemplificar a inteligência, a personalidade, o talento, o valor artístico e intelectual e, ao mesmo tempo, caracterizar o estranho complexo de solidão e isolamento proporcionado pelo signo de Virgem, basta apenas mencionar uma de suas mais extraordinárias nativas, a fascinante Greta Garbo, nascida em Estocolmo a 18 de setembro de 1905. Durante 16 anos ela foi a mais importante figura do mundo cinematográfico e seu salário subiu de 400 dólares por semana para 300 000 dólares por película. Depois de vinte e quatro filmes de absoluto sucesso mundial ela abandonou inesperadamente o cinema, e quando lhe perguntaram por que interrompia assim sua carreira, ela respondeu simplesmente: Eu quero ficar só...

Utilitarismo

Nos tipos não intelectuais, Virgem também proporciona inteligência, mas esta é somente utilizada para fins práticos. Observa-se um número grande de virginianos que não lêem, sentem enorme dificuldade quando tentam memorizar uma poesia ou um trecho de livro, não apreciam assuntos intelectuais, são incapazes de aprender um idioma qualquer, mas demonstram extrema sagacidade, muita esperteza, desenvolvida memória e habilidade para todas as coisas práticas, lucrativas e comuns.

Estes virginianos são tipos interessantes, obtusos para as coisas elevadas e brilhantes nos assuntos mais vulgares; é como se sua inteligência perdesse os sentidos quando transportada para o ambiente rarefeito dos planos superiores e só conseguisse funcionar à baixa altitude. Eles não têm memória para poesias ou capacidade para estudar matemática, mas costumam enriquecer no comércio e jamais esquecem um detalhe ou erram uma conta. Todas as atividades que exigem trato direto com o público são procuradas por eles e tanto podem ser cozinheiros como costureiras, artistas de última hora, escritores de romances ou novelas sem nenhum valor literário, mas de vendagem certa, ou podem aproveitar os intervalos do seu trabalho fixo ou de suas atividades domésticas para se dedicar à venda de terrenos, ações, cigarros de contrabando, perfumes, roupas e coisas semelhantes.

Simplicidade

Em todos os signos, naturalmente, cada um com sua feição própria, existem os tipos orgulhosos, os vaidosos, os tímidos e os modestos. Existem, portanto, em Virgem, as criaturas arrogantes, altamente convencidas de seu valor e de sua importância; elas, todavia, não representam a pura essência deste signo, que sempre inclina à simplicidade e à frugalidade.

O virginiano geralmente prefere uma vida calma, não é exigente nem requintado em seus hábitos e não costuma ser vaidoso. Quando, por seus próprios méritos ou por suas próprias obras, a fama vem ao seu encontro, recebe as homenagens que lhe são prestadas com toda a naturalidade, e a vitória nunca lhe sobe à cabeça. Se a fortuna coroa seus empreendimentos, não altera seus hábitos frugais, não esquece os velhos amigos, não freqüenta os ambientes requintados e, embora procure cercar-se de conforto, jamais se inclina para uma vida luxuosa e movimentada.

Estes tipos são os positivos, que apesar de apreciarem a tranqüilidade e a modéstia, também sabem lutar quando têm de defender seus direitos e sabem fazer seu valor reconhecido e respeitado. Existem, todavia, outros tipos nascidos neste signo que, por comodismo ou timidez e mais por conveniência do que por modéstia, fogem das situações de maior destaque e preferem uma tranqüila obscuridade, livre das responsabilidades maiores.

Virgem é um signo de vibrações altamente favoráveis, dando aos seus nativos uma inteligência viva e hábil. Os virginianos entendem, assimilam, organizam e explicam com a perfeição que só Mercúrio pode determinar. São persistentes, obstinados, laboriosos, objetivos e práticos em virtude da influência do elemento terra. No entanto, enquanto um virginiano é capaz de todas as realizações, outro sabe criar, mas não consegue materializar suas idéias, sabe organizar, mas não tem capacidade para dirigir; esconde, então, sob a capa da simplicidade, que é um dos mais belos atributos de Virgem, o temor, a inércia e a timidez quando, se souber positivar sua vontade, será capaz de dar forma e cristalizar todos os seus objetivos, até os mais arrojados.

Os pecados de Virgem

O signo de Virgem tem alguns pecadinhos que às vezes prejudicam bastante os seus nativos. Naturalmente, é exagero falar em pecados de um signo, pois nenhum deles os tem. Eles possuem somente qualidades que, quando exageradas, se transformam em defeitos. Em virtude também de influências cósmicas hostis, seus raios poderão ser negativos, correspondendo então a uma negação de suas qualidades.

O virginiano, como já dissemos, é modesto, reservado, tranqüilo e afável. Nos tipos negativos, essas qualidades podem degenerar em temor, apatia, inércia, hostilidade para com o próximo ou, então, servilismo demasiado. Virgem é um signo de *voz*, dá aos que nascem sob sua influência o poder de impressionar pela palavra; certos tipos inferiores só sabem causar prejuízos através desse divino dom, pois fazem intrigas, inventam calúnias e vivem levando e trazendo recadinhos e espalhando a discórdia por onde passam. Outros sentem uma irrefreável necessidade de fazer confissões, confiar seus próprios problemas a qualquer ouvido que esteja à disposição. Como adoram fazer e receber confidências e nem sempre têm cuidado com o que dizem, freqüentemente se vêem envolvidos em intrigas, discussões e até escândalos.

Outro ponto que deve ser muito lembrado é que Virgem governa o sexto setor zodiacal; além de todas as atribuições deste sexto setor, ele tem duas outras muito interessantes: dá as indicações sobre a saúde do nativo e, em seguida, também rege os empregados e os subalternos. O virginiano menos evoluído acaba sendo sempre torturado pela mania das doenças, dos regimes dietéticos e dos tratamentos; os tipos mais inferiores, os menos esclarecidos, costumam dar intimidade e confiar segredinhos a empregados ou criaturas de condição baixa e geralmente acabam sofrendo terríveis prejuízos, sendo aconselhável sempre muito critério na escolha dos amigos e muita prudência nas palavras para que o nativo não tropece em seus próprios pés.

Síntese

Virgem, sendo o último dos seis primeiros signos, age como linha divisória, seccionando o zodíaco em duas partes: a primeira, onde domina o *eu* e o *meu*, e a segunda, que pertence ao *nós* e ao *nosso*. Ele marca, portanto, uma transição importante, pois os seis signos que se estendem à sua frente, em que o indivíduo não mais agirá sozinho e terá muitas lutas a enfrentar, são justamente os degraus mais difíceis.

Imóvel nesse portal do mundo, o virginiano vacila ante o desejo de ser só e a vontade de unir-se a outros, compartilhar corpo e alma, alegrias e dores, vitórias e derrotas. Por suas fraquezas, ele poderá ser considerado um egoísta, poderá ser odiado, poderá ser infeliz ou, então, simplesmente viverá tão obscuramente que nem seus próprios defeitos serão notados. Por suas qualidades, poderá ter o respeito e o afeto de seus semelhantes e possuirá tudo aquilo que desejar, pois as vitórias existem para ser conquistadas por quem tem a capacidade de lutar por elas.

O DESTINO

Antes mesmo do seu nascimento o homem já começa a integrar-se no concerto cósmico universal. Seus primeiros sete meses, três na condição embrionária e quatro na condição fetal, são as sete etapas formativas, no fim das quais está apto para nascer e sobreviver. Os dois últimos meses são dispensáveis, mas a Natureza, mãe amorosa e cautelosa, os exige e só os dispensa em casos extremos, pois a criaturinha que vai nascer necessita fortalecer-se e preparar-se para a grande luta que se iniciará no momento em que ela aspirar o primeiro hausto de ar vivificante.

Durante os nove meses de permanência no útero materno, de nove a dez signos evoluem no zodíaco solar. De modo indireto, suas induções são registradas pelo sensível receptor que é o indivíduo que repousa, submerso, na água cálida que enche a placenta. É por essa razão que observamos, em tantas pessoas, detalhes de comportamento que não correspondem às determinações do seu signo natal; isto indica que elas possuem uma mente flexível e sensível e estão aptas para se dedicar a múltiplas atividades.

Ao nascer, a criatura recebe a marca das estrelas que dominarão o seu céu astrológico e que determinarão seu caráter, seu temperamento e seu tipo físico, além de dar-lhe um roteiro básico de vida. As vibrações percebidas durante a permanência no útero, por uma sutil química cósmica, são filtradas e quase totalmente adaptadas às irradiações das estrelas dominantes. As influências familiares e a posição social ou financeira dos progenitores nunca modificarão o indivíduo; apenas poderão facilitar ou restringir os meios que ele terá para objetivar sua personalidade e realizar, de modo positivo ou negativo, as induções do seu signo natal.

Alguém, portanto, nascido entre 23 de agosto e 22 de setembro, provenha de família de rígidos princípios ou de moral relaxada, venha à luz numa suntuosa maternidade ou no canto de uma casa humilde, seja criado com carinho ou desprezado pelos seus, será sempre um virginiano e terá o destino que Virgem promete aos seus nativos. Este destino será brilhante ou apagado, benéfico ou maléfico, de acordo com a qualidade e o grau de evolução de cada um.

Evolução material

Tudo na vida dos nativos de Virgem tem sempre um andamento moderado e às vezes bem lento. A fama nunca bate à sua porta e, se a desejam, eles têm que lutar para conquistá-la. A fortuna não foge de suas mãos, mas também não corre ao seu encontro, devendo ser perseguida e aprisionada. O virginiano sempre progride devagar porque não é sujeito a loucos e inspirados impulsos nem tem um temperamento audacioso e aventureiro; a moderação, o cálculo e a prudência são qualidades suas e, na verdade, progride lentamente, mas raramente sofre derrotas estrondosas.

A timidez pode se constituir num grave obstáculo para o progresso dos nativos deste signo, que são às vezes espoliados em seus direitos ou deixam de ter seu valor reconhecido e recompensado, apenas porque se acanham ao falar e não gostam de entrar em competição aberta com outras criaturas. Como já apontamos, há os virginianos positivos, enérgicos, dinâmicos e realizadores e para eles o destino será bem agradável e brilhante; mas para aqueles de vontade débil e natureza conformista, os prognósticos são de que viverão de modo obscuro e sempre serão comandados pelas circunstâncias e pelas pessoas que os rodearem. A despeito disso, como Virgem tem estrelas muito favoráveis, eles sempre alcançarão, depois dos trinta e cinco anos, uma estabilidade material e espiritual bastante razoável.

Na sua juventude o virginiano quase sempre viverá à custa dos pais ou, então, mesmo que trabalhe para sustentar-se, será sempre dominado por um ou pelos dois genitores. Quando alcançar sua independência mental e espiritual, começará também a construir sua fortuna material. Há indícios de que, depois dos trinta e cinco ou quarenta anos, a fortuna seja bastante próspera para os nativos de Virgem que poderão, inclusive, alcançar altas posições na política, no governo ou nas finanças.

O começo será sempre difícil para todos os virginianos. Mesmo que nasçam em boa família, possuindo dinheiro e projeção, não lhes será tarefa muito suave a de abrir seu próprio caminho. À medida que os anos forem avançando, tudo se tornará mais fácil, e os nativos de Virgem seguramente terão a recompensa de todos os seus esforços e sua fortuna será sólida, pois jamais perderão aquilo que conseguirem ganhar.

Família

Os progenitores dos virginianos, quase como regra geral, serão generosos, tolerantes, inteligentes e procurarão dar aos filhos todo o conforto material que lhes for possível proporcionar. Serão amantes das coisas agradáveis, refinadas, artísticas e, freqüentemente, os nativos de Virgem viverão num ambiente que reunirá beleza, afeto e muita discussão, pois há indícios de que a vida de seus pais não será muito harmoniosa.

A família terá enorme influência sobre a personalidade do nativo deste signo, que assimilará profundamente todas as coisas vividas e aprendidas no lar paterno. Inteligentes e sensíveis ou broncos e materialistas, os pais sempre serão, de forma mais ou menos direta, os responsáveis por muitos dos sucessos e fracassos dos virginianos.

Virgem é um signo de natureza científica e de vibração mental muito poderosa. Os virginianos, ao saber aproveitar o apoio de sua família, poderão destacar-se brilhantemente em qualquer uma das atividades dominadas por este signo e por Mercúrio. Da mesma forma, um dos seus irmãos também poderá alcançar excepcional renome, seja por alguma atividade científica, artística ou intelectual ou por sua atuação em alguma carreira pública.

Poderá não haver grande harmonia entre o virginiano, seus pais e seus irmãos; em sua família existirá muito afeto, mas não existirá compreensão, pois todos os seus membros terão uma personalidade forte, independente e rebelde. Embora possa ser bastante difícil no princípio, a vida dos progenitores dos nativos deste signo crescerá em prosperidade com o passar dos anos e o virginiano será sempre apoiado por eles quando necessitar de seu amparo, moral ou financeiro.

Amor

Os aspectos relativos ao amor, às uniões e casamentos, em Virgem, são extremamente enigmáticos, pois este é um signo que tanto pode indicar muita felicidade matrimonial como pode prometer viuvez, separação, dupla vida amorosa e infidelidade.

A casa que governa o casamento, no horóscopo fixo dos virginianos, é o signo de Peixes, setor zodiacal de induções muito sensíveis e elevadas, mas em que também existem sombrios mistérios. É muito difícil prever o destino matrimonial dos nativos de Virgem porque, para cada um deles, o amor terá uma conseqüência diferente.

O virginiano tanto poderá casar-se por amor como por interesse, por despeito ou por piedade. No primeiro caso, será muito feliz, especialmente se souber escolher o seu cônjuge e se souber selecionar os amigos que freqüentarão sua casa. No segundo caso, a união será um fracasso, pois o virginiano, apesar de esperto, deixa-se iludir pelas aparências e, geralmente, sempre que faz algo por interesse acaba descobrindo que empregou seu tempo num mau negócio.

O nativo de Virgem às vezes é muito rancoroso, esquece as boas palavras e sempre guarda as más, alimentando um ódio silencioso. Por questões com a família ou desentendimentos com a pessoa amada, este nativo poderá fazer um casamento precipitado, do qual depois se arrependerá amargamente; tentando vingar-se, acabará sendo o único prejudicado. Por não saber escolher o cônjuge, por confundir piedade com amor, poderá unir-se a pessoa de nível social muito inferior ao seu, de pouca educação ou sujeita a vícios tais como bebida, tóxicos etc.

Para os tipos positivos, que sabem o que desejam, que agem com serenidade, que não escondem rancores ou mágoa, o casamento poderá ser imensamente feliz e trará segurança, prosperidade e alegria com os filhos.

Filhos

O signo de Virgem não promete muitos filhos, dependendo o número deles das influências planetárias existentes no céu astrológico de quem o virginiano escolher para seu cônjuge. Os que porventura nascerem serão motivos de satisfação e orgulho e poderão conquistar fortuna e renome, seja por seu trabalho ou por casamento com pessoa de alta posição.

Os virginianos não terão dificuldade em moldar o caráter de seus filhos, mas eles só serão dóceis em seus primeiros anos de vida; assim que chegarem à adolescência mostrarão que têm uma personalidade independente e rebelde. Um deles poderá alcançar excepcional renome por atividade científica ou intelectual, e será convidado a visitar ou a exercer cargo importante em países estrangeiros.

Na infância, os filhos poderão trazer algumas preocupações, pois estarão sujeitos às moléstias de pele, aos resfriados e catarros ou às debilidades no estômago e nos intestinos, que causarão problemas na alimentação. Esses problemas desaparecerão entre os sete e os quatorze anos e o virginiano não terá outra preocupação com os filhos a não ser aquelas relacionadas com o seu temperamento rebelde e independente.

Vida social

A posição social dos virginianos poderá ser muito elevada ou muito modesta e será sempre um reflexo de sua personalidade: prestigiosa se eles pertencerem ao tipo dinâmico e positivo; obscura, se forem passivos e tímidos. Há indícios, também, de que por seus próprios erros ou por convivência com pessoas de qualidade inferior os nativos deste signo poderão perder seu prestígio social. Um casamento ou união com pessoa de nível inferior, ou inclinada à bebida, aos tóxicos ou às práticas homossexuais, poderá condenar o virginiano a viver afastado do meio em que foi criado.

Os tipos positivos sempre terão uma posição social próspera e segura, pois saberão conduzir seus negócios, escolher seus amigos, lutar por seus direitos e, às vezes com bondade outras vezes com rigor, saberão afastar os competidores e derrotar os inimigos. Os tipos passivos, sem energia para lutar, serão vencidos por qualquer pessoa de vontade mais forte, não terão ânimo para reagir contra as situações adversas e viverão obscuramente, ao sabor das circunstâncias.

Uma dupla união ou uma vida amorosa irregular serão dois motivos que poderão arruinar socialmente o nativo deste signo; eles virão sempre acompanhados por escândalos ou brigas ruidosas. As amizades, também, quando mal escolhidas, serão causa de grandes prejuízos; o virginiano sente fortemente a influência de seus amigos, sendo esta influência, às vezes, maior do que a da família, dos pais e irmãos.

Em todas as situações, a ruína ou a elevação dos virginianos sempre será o resultado de seu próprio julgamento e de suas próprias atitudes, pois Virgem, como todos os signos astrológicos, oferece fortuna, respeito e prestígio a todos os seus nativos.

Finanças

O signo de Virgem, nos assuntos financeiros, oferece um aspecto bastante singular, pois promete, aos seus nativos, aquilo que eles *souberem* conquistar. Nenhum virginiano receberá mais nem menos do que lhe for devido, seja em alegria ou dor, fortuna ou descrédito. As estrelas de Virgem põem tudo ao alcance de seus nativos, mas eles terão que lutar pelo que desejarem. Poderão ter o grande azar do conforto tranqüilo, vegetar modestamente na maior miséria; qualquer uma dessas coisas será sempre o resultado de sua vontade, de sua energia, de seu bom senso e de sua prudência.

Na infância e na juventude os virginianos viverão economicamente protegidos por seus pais. Aqueles de vontade mais fraca, habituando-se a essa situação calma e sem responsabilidades, não saberão lutar depois por sua independência e estarão condenados a uma vida obscura e sem méritos. Os tipos enérgicos, todavia, facilmente construirão seus próprios caminhos e não terão dificuldade em obter sucesso e pronta recompensa aos seus esforços.

O matrimônio sempre terá papel importante na situação financeira de todos os que nascem no signo de Virgem. Certos virginianos, enfrentando a oposição da família, poderão se casar com pessoa doente ou viciada ou, ainda, de posição social muito inferior, e isso sempre lhes trará muitas amarguras e muitos prejuízos, não só financeiros como também morais. Nesses casos, não será raro que pessoas pouco escrupulosas, aproveitando-se de certos segredos do cônjuge dos virginianos, se utilizem deles para fazer chantagem. Muitas vezes, também, o nativo deste signo terá que pagar dívidas de pessoas estranhas, apenas para não ser moralmente desacreditado.

As associações comerciais também poderão trazer alguns prejuízos. Ao realizar qualquer negócio, os virginianos devem estudar antes cuidadosamente todas as pessoas com quem terão de lidar, pois o destino promete alguns aborrecimentos com associados. As demandas e questões judiciais nunca serão muito favoráveis aos nativos de Virgem; todos os problemas devem ser sempre resolvidos pacificamente porque, se conduzidos ante um tribunal, trarão mais prejuízo do que lucro para os virginianos, e sempre se refletirão desfavoravelmente em suas finanças.

Os jogos de azar e as especulações arriscadas, bem como as aventuras com o sexo oposto, são os três fantasmas que poderão arruinar a fortuna dos nativos deste signo. Evitando essas coisas, sabendo escolher bem seus amigos e seus associados, o virginiano poderá viver livre de aborrecimentos financeiros, pois Virgem, como signo de terra, promete muita estabilidade e segurança.

Saúde

Os primeiros anos de vida dos nativos de Virgem sempre serão perturbados por pequenas moléstias, febres, vômitos, perturbações de garganta, sono inquieto, instabilidade nervosa e perturbações de estômago e intestinos. O agente provocador destes males é Mercúrio, que rege o sistema nervoso e pode provocar uma série de manifestações desagradáveis. Um susto, o temor de ser punido ou o desejo de escapar a qualquer obrigação poderão fazer a criança de Virgem adoecer: ela ficará com febre, ou terá a garganta inflamada ou sofrerá vômitos ou diarréia.

Se os pais derem a estes fenômenos uma importância maior do que a devida, o virginiano se acostumará aos cuidados, aos remédios e à proteção excessiva. Quando adulto, em todas as ocasiões que tiver de enfrentar algum problema grave e a responsabilidade o deixar assustado, ele procurará ficar doente para sentir-se novamente protegido e agasalhado. Os tipos positivos não sofrem esta espécie de males imaginários, que não passam de recursos do subconsciente. Como são enérgicos, ativos e empreendedores, jamais procuram uma desculpa para fugir aos seus problemas; assim mesmo, seu sistema nervoso sempre será um ponto fraco, que merecerá cuidados especiais.

Mercúrio também rege o cérebro, a língua, as mãos e a vesícula biliar e os virginianos estarão sujeitos a crises depressivas, estados de melancolia, estados de excitação, nevralgias e dores de cabeça de origem nervosa e falta de memória, irritação, cansaço mental etc. Pode acontecer o oposto, Mercúrio pode dinamizar extraordinariamente as partes governadas por ele, dando-lhes um excelente funcionamento; mas também pode torná-las frágeis e os virginianos devem evitar o trabalho excessivo e diminuir o peso de suas preocupações, pois sua tendência sempre é a de dar uma excepcional magnitude aos menores problemas.

O signo de Virgem exerce poderosa influência sobre o intestino grosso e delgado, o lóbulo inferior do fígado, o baço e o duodeno. Estas partes poderão ter funcionamento excelente ou poderão ser as primeiras a sofrer se o nativo abusar de sua saúde, fizer muito esforço ou tiver uma conduta extravagante, abusando dos prazeres amorosos, da comida ou da bebida.

Ar livre, companhia agradável, bastante exercício físico e alimentação simples, sem excesso de molhos ou condimentos, serão os maiores remédios para a conservação da saúde dos nativos de Virgem. O riso, a alegria, a despreocupação e uma visão otimista trarão bela aparência e muito bem-estar; o pessimismo, a mágoa, o rancor, as raivas surdas e a melancolia serão sombras negras que afetarão maleficamente seu organismo, e por isso devem ser evitados a todo custo.

As frutas e verduras só devem ser consumidas quando bem frescas e depois de muito bem lavadas, pois este signo determina tendência para as verminoses, cólicas, disenterias, febres e infecções intestinais. Os centros nervosos que regem todo o delicado mecanismo da função sexual estão sob a influência de Virgem; seus nativos poderão sofrer impotência ou qualquer outra inibição ou transtorno sexual, por motivo puramente nervoso. Também as disfunções da bexiga e as prisões de ventre, que atacam os virginianos com muita freqüência, poderão ter origem nervosa e serão de cura fácil. Os piores males serão os imaginários; estes, nenhum médico poderá curar.

Amigos

Como nem sempre sabem escolher seus companheiros, os virginianos poderão sofrer muitos aborrecimentos com seus amigos. Deixando-se enganar pelas aparências e não tendo muita habilidade, ou malícia, para distinguir o bom do ruim, freqüentemente se mesclarão com criaturas inferiores, que trarão muita mágoa e prejuízo.

Na verdade, alguns amigos serão generosos e sensíveis e trarão prazer e lucro, pois por intermédio deles o nativo de Virgem terá oportunidade de entrar em contato com personalidades influentes e poderá fazer bons negócios. Certas pessoas dedicadas a estudos ocultos ou ao espiritualismo também trarão grande benefício moral, pois sempre surgirão nas horas de necessidade.

O virginiano deve escolher com muito cuidado todos aqueles que participarão de sua intimidade. Deve lembrar-se, também, que nem todos os ouvidos são bons para confidências, pois estas poderão ser divulgadas, dando motivo a intrigas e escândalos e o nativo de Virgem verá que o pior inimigo é aquele que considera como amigo.

Inimigos

O virginiano deverá ter mais cuidado com seus falsos amigos do que propriamente com seus inimigos declarados. Estes serão leais, atacarão de frente e não usarão armas ocultas. Na maior parte das vezes, nem sequer atacarão, apenas se afastarão dos nativos deste signo, sem criar maiores problemas.

Os nativos de Virgem, quando positivos e evoluídos, raramente fazem inimigos, a não ser por algum motivo profissional ou comercial; como, porém, possuem um caráter reto e tudo o que fazem é bem feito, seus adversários respeitarão suas qualidades e dificilmente o virginiano terá aborrecimentos com eles.

Os tipos inferiores, às vezes intolerantes e críticos, outras vezes de língua muito frouxa, sempre prontos a falar de tudo e de todos, estes sim, terão uma boa porção de inimigos. Como, todavia, este signo não dá adversários traiçoeiros ou vingativos, o virginiano será humilhado por eles, que não se darão ao trabalho de persegui-lo ou então de odiá-lo.

Viagens

No destino dos virginianos poderão ocorrer muitas viagens. Raramente elas serão feitas por prazer, estando quase sempre ligadas a negócios, assuntos de família ou compra e venda de propriedades.

Algumas dessas viagens poderão trazer grandes lucros, especialmente quando forem motivadas por negócios ligados a terras, propriedades ou grandes animais, como bois, cavalos etc. Por causa de irmãos ou parentes próximos, o virginiano também poderá fazer mais de uma viagem, em que tratará de papéis de família ou documentos relativos a propriedades.

Como Virgem é um signo de ritmo mutável, mas pertence ao elemento terra, ora o nativo terá imenso desejo de viajar, ver novos lugares e fazer novos amigos, ora procurará evitar todo e qualquer deslocamento ou mudança, tudo dependendo de seu estado de humor.

Queiram fazê-las ou não, as viagens sempre serão proveitosas para os virginianos e terão papel importante em sua fortuna, em seus negócios e em sua posição social.

Profissões

Virgem e o seu regente, Mercúrio, dão aos virginianos uma inteligência viva, brilhante e lógica. Qualquer atividade que exija a participação da mente poderá ser exercida por eles, com completo sucesso.

Os que nascem neste signo podem trabalhar em todos os postos administrativos, públicos ou particulares, ocupando desde a chefia até o lugar de escrevente. Como Virgem é um signo que proporciona compreensão e humanismo, podemos encontrar seus nativos trabalhando como enfermeiros ou serventes, em hospitais, asilos, sanatórios etc. Podemos, igualmente, vê-los como médicos competentes, farmacêuticos, químicos, homeopatas, botânicos e todos os que acreditam e praticam a medicina através da utilização das plantas.

Por seu intelecto lúcido e objetivo, na ciência os virginianos poderão alcançar o prestígio adquirido por uma ilustre nativa de Virgem, Irene Jolliot-Curie. Na Literatura, na Música, na Poesia, também terão excelente oportunidade de sucesso. Mercúrio dá grande acuidade auditiva e um raro sentido para sons e cores. Dá, igualmente, inimitável habilidade para lidar com as palavras, conforme podemos comprovar quando lemos os trabalhos de alguns virginianos ilustres como Guerra Junqueira, Goethe, Herbert G. Wells e Leon N. Tolstói.

As carreiras liberais também são propícias aos nascidos neste signo, que poderão tornar-se professores, lingüistas, historiadores, biógrafos, advogados, juízes, sociólogos, psicólogos e economistas. Podemos, ainda, encontrá-los entre os jornalistas, os correspondentes de guerra, os críticos literários e artísticos, os publicitários, os editores, os redatores, os gráficos, os diagramadores, revisores e todas as demais criaturas que lidam com livros, papéis, periódicos, revistas e publicações.

Os virginianos sempre terão sorte em todas as atividades comerciais, especialmente as que exigem trato direto com o público ou que estejam ligadas à importação e exportação. Assim, podemos encontrá-los como proprietários ou empregados de lojas, armazéns, firmas importadoras e exportadoras, alfândegas, casa de câmbio, supermercados e atacadistas, que trabalham com gêneros importados. Também poderão fazer carreira em escritórios, tanto funcionando como contadores, guarda-livros, arquivistas, datilógrafos, correspondentes, estenógrafos etc., como ocupando o mais alto posto de diretoria, pois Virgem lhes proporciona todos os meios para obter sucesso, fortuna e respeito público.

Há ainda outras carreiras que costumam ser favoráveis aos virginianos, que tanto poderão ser oradores excepcionais como apresentadores de rádio ou TV e locutores de futebol. Também o palco, o teatro, o cinema, a televisão e o circo estão abertos para todos os que captam, como os virginianos, a vibração de Mercúrio, que proporciona a faculdade de impressionar pelos gestos e pelas expressões, além de dar o maravilhoso "dom da fala", capaz de magnetizar.

Síntese

Sob as estrelas de Virgem raramente nascem os heróis de guerra ou os conquistadores agressivos. Apesar de este signo ter presidido o nascimento de um Duque de Caxias, ele é um signo de paz, onde costumam vir à luz as criaturas que lutam sempre com os olhos no futuro e o pensamento na coletividade.

O virginiano superior é inteligente, calmo, prudente, profundo, justo e seu poderoso mecanismo mental tanto pode conseguir transcendentes ideais como pode agarrar-se a realizações materiais práticas e úteis. Ele sabe unir a idéia à ação, a essência à estrutura, a utilidade à beleza e nada lhe parece difícil, impraticável ou assustador. Mercúrio e Virgem, unindo-se, dão aos seus nativos uma bagagem material capaz de fazê-los vitoriosos em qualquer campo da atividade humana.

A CRIANÇA DE VIRGEM

Os que nascem sob as estrelas de Virgem possuem uma personalidade delicada, difícil de ser entendida. As crianças deste signo são altamente sensíveis e inteligentes e devem ser carinhosamente tratadas e cuidadosamente orientadas desde seus primeiros dias de vida.

Já sabemos que a timidez e a indecisão são debilidades presentes em muitos nativos de Virgem que, por não possuírem coragem e energia, não conseguem firmar-se na vida nem aproveitar as maravilhosas possibilidades oferecidas por este signo. Deve-se deixar que o pequeno virginiano resolva sozinho seus próprios problemas e não se deve cercá-lo de muita proteção, embora lhe deva ser dado muito carinho; é na infância que se deve incutir confiança e valor para que, na idade adulta, ele saiba lutar por aquilo que merece.

As crianças de Virgem ora sentem enorme necessidade de companhia ora se isolam, brincam sozinhas e não dão grande importância aos adultos ou aos seus amiguinhos. Não se deve alimentar essa tendência à solidão nem deixá-las sozinhas, de castigo; este signo inclina à fuga através da imaginação e os pequeninos virginianos, ao se sentirem solitários, construirão um mundo mental em substituição ao real. Mais tarde, quando adultos, ao se defrontarem com algum problema grave, fugirão para esse mundo mental e nunca terão coragem ou energia para enfrentar qualquer situação crítica.

Mercúrio rege o sistema nervoso. Sua influência torna as crianças de Virgem impressionáveis, sensíveis e irritáveis. As vibrações mercurianas também dinamizam o cérebro e o pequeno virginiano pode demonstrar inteligência aguda desde cedo. Também o sentido dos sons, das formas e das cores é dado por Mercúrio, e seus pupilos muitas vezes surpreenderão os adultos com sua facilidade para reconhecer formas, pessoas, músicas, fazer comparações e imitações. Os pequenos virginianos sempre se interessam mais pelas coisas dos adultos e pelos próprios adultos do que por seus brinquedos. Gostam de observar as pessoas, são críticos impiedosos e desde cedo demonstram rara habilidade para apontar defeitos e fazer comparações.

Essas características acima apontadas devem ser objeto de cuidadosa orientação para que depois não se transformem em grave defeito. O potencial de inteligência demonstrado pela criança deve ser conduzido para um terreno construtivo e dirigido para os estudos. Se sua inteligência não for cultivada, a maravilhosa máquina mental que poderia fazer dela um médico, um engenheiro ou um cientista servirá apenas para transformá-la numa criatura tagarela, crítica, sempre às voltas com intrigas e questões com parentes e vizinhos. Se sua natureza não se inclinar às conversas tolas, à constante, curiosa e freqüentemente maldosa observação das pessoas, o virginiano que deixar atrofiar sua inteligência ficará na triste situação de quem tem pernas sadias e se vê preso numa cadeira de rodas.

A criança de Virgem está sujeita aos distúrbios gastrintestinais, perturbações digestivas e verminoses. Por sua extrema sensibilidade nervosa e pela delicadeza de seu organismo, que reage violentamente contra coisas ou situações desagradáveis, ela pode sofrer alergias, moléstias de pele, vômitos, inapetência, sono inquieto e irregular e perturbações intestinais. Deve-se proporcionar-lhe bastante exercício ao ar livre e muita companhia de crianças da sua idade. Ela deve viver num ambiente calmo, equilibrado, sem grandes mudanças ou novidades e sem brigas ou perturbações freqüentes que possam excitá-la, pois ela vive intensamente os problemas dos adultos e seu sistema nervoso é profundamente afetado.

Muitos virginianos têm problemas de ordem sexual, na idade adulta. É sempre interessante que os pais acompanhem cuidadosamente o desenvolvimento de seu filho, quando nascido em Virgem, a fim de corrigir qualquer deficiência que possa causar sofrimento mais tarde. Inteligência e sensibilidade são qualidades que os que nascem neste signo possuem sobejamente. Dando-se, desde a infância, uma orientação sadia ao virginiano, aproveitando-se as elevadas induções conferidas pelas estrelas de seu nascimento, seus pais poderão ter a certeza de que mais tarde terão sólidos e justos motivos de alegria e orgulho.

O TRIÂNGULO DE TERRA

O elemento terra manifesta-se em três signos: TOURO — VIRGEM — CAPRICÓRNIO. Sua polaridade é feminina e sua vibração é intensa, coesiva, limitadora e construtiva. Sua essência, naturalmente, é única, mas em cada um desses três signos ela sofre grandes modificações, de acordo com as seguintes influências:

- situação zodiacal do signo, como Casa *angular, sucedente* ou *cadente*, na qual se manifestará como o agente que impulsiona, que realiza ou que aplica;
- sua correspondência com as leis cósmicas de equilíbrio, em conformidade com as três modalidades de ritmo: *impulso, estabilidade* e *mutabilidade*.

De acordo com a vibração própria de cada signo é fácil saber se o nativo irá viver e agir norteado por suas emoções, por suas sensações ou por seu raciocínio. Isto nos é revelado pela palavra-chave de cada signo. Na triplicidade da terra as palavras-chave são as seguintes: Touro, PRODUTIVIDADE — Virgem, ASSIMILAÇÃO — Capricórnio — CONSTRUTIVIDADE. Unindo-se estas palavras às determinações proporcionadas pela colocação do signo dentro do zodíaco e por sua modalidade rítmica podemos, então, definir de modo mais completo o triângulo de terra.

A terra, como é elemento comum a esses três signos, liga-os intimamente e o virginiano, além da influência de Virgem e de seu regente, Mercúrio, recebe, também, as vibrações de Touro e Capricórnio e dos seus respectivos senhores, Vênus e Saturno. Os nativos de Virgem captam, então, as irradiações destes signos e planetas de acordo com a data de seu nascimento. Mercúrio domina sobre todo o signo de Virgem, mas tem força especial durante os primeiros dez dias dos trinta que correspondem a Virgem; Saturno tem influência participante nos dez dias seguintes e Vênus colabora na regência dos dez dias finais. Dessa forma, os virginianos se dividem em três tipos distintos que são os seguintes:

Tipo VIRGINIANO-MERCURIANO
nascido entre 23 de agosto e 1º de setembro

Tipo VIRGINIANO-SATURNINO
nascido entre 2 e 11 de setembro

Tipo VIRGINIANO-VENUSIANO
nascido entre 12 e 22 de setembro

Em todos os dias que integram o período que vai de 23 de agosto a 22 de setembro a influência da terra é extremamente poderosa. Durante esse período Virgem é a constelação que se levanta com o Sol, ao amanhecer; oito horas mais tarde, Capricórnio surge no horizonte, e decorrido igual espaço de tempo chega a vez de Touro. Dividindo-se, então, o dia em três períodos iguais, vemos que os três tipos virginianos se transformam em nove, mediante a combinação da hora e da data de nascimento. Estudando esses noves tipos, ou nove faces de Virgem, podemos interpretar, com mais acerto, a inteligente e complexa personalidade dos virginianos.

AS NOVE FACES DE VIRGEM

Tipo Virginiano–Mercuriano

Data de nascimento: entre 23 de agosto e 1º de setembro

Qualidades: inteligência, assimilação, compreensão
Vícios: oscilação, inveja, malícia

Hora natal: entre 6h e 13h59m

Quase sempre as pessoas que nascem nos primeiros dez dias de cada signo e, principalmente, no primeiro período de oito horas, são as que possuem, em linhas mais nítidas, as características de temperamento e caráter proporcionadas pelo signo. Sendo tipos negativos ou inferiores, são os que apresentam seus defeitos com maior intensidade; sendo tipos positivos ou superiores, são os que melhor traduzem suas qualidades.

Os virginianos aqui nascidos são laboriosos, modestos, honestos, muito afetivos e muito rígidos em seus conceitos morais. Apesar de sua simplicidade, sua inteligência privilegiada os capacita a aspirar às melhores e mais honrosas posições. Os tipos de vontade fraca, embora igualmente inteligentes, nada conseguem realizar; os elementos negativos são invejosos, preguiçosos e depravados.

Hora natal: entre 14h e 21h59m

Os nativos deste período têm uma personalidade tranqüila, reservada, pouco comunicativa, avessa às manifestações de afeto e muito inclinada à solidão e ao silêncio. A inteligência é profunda, potente e lógica, tendo o nativo forte tendência para os trabalhos e estudos que requerem paciência e pesquisa.

Em certos casos, estas influências cósmicas determinam intensa dualidade íntima, oscilando o virginiano entre a timidez e a agressividade, o temor ao mundo, que o mantém preso aos seus, e o desejo de se arremessar contra tudo e contra todos; a vergonha de manifestar afeto ou carinho e o desejo de entregar-se a todos os excessos materiais.

Os tipos positivos e equilibrados que nascem neste período são extremamente produtivos, incansáveis em seu trabalho e capazes de realizar coisas que se afiguram impossíveis às outras pessoas.

Hora natal: entre 22h e 5h59m

Os virginianos que nascem neste período são mais afetivos, carinhosos, sociáveis e gentis do que os que pertencem ao período anterior. Ao sofrer as influências cósmicas deste instante, os nativos de Virgem podem inclinar-se para a arte, para as atividades intelectuais e para o comércio; outros virginianos que recebem estas influências terão uma tendência acentuadamente modesta e procurarão trabalhar em hospitais, asilos ou orfanatos ou, ainda, escolherão a carreira religiosa.

Os tipos inferiores que recebem estas vibrações são pervertidos, maliciosos, desonestos, sensuais e vaidosos. As mulheres nascidas neste período, quando positivas, são excelentes esposas, mães carinhosas ou castas solteironas, pois esta influência dá tendência ao celibato. As mulheres negativas poderão ser despudoradas donas ou dirigentes de prostíbulos.

Tipo Virginiano–Saturnino

Data de nascimento: entre 2 e 11 de setembro

Qualidades: inteligência, assimilação, análise
Vícios: frieza emocional, malícia, inveja

Hora natal: entre 6h e 13h59m

Os nativos deste momento cósmico possuem grande desenvolvimento mental, enorme capacidade de trabalho e vontade firme e obstinada. Aqui se juntam a potência própria do elemento terra com a brilhante irradiação mercuriana e a profunda e poderosa influência de Saturno, que participa da regência deste decanato; estas condições produzem os virginianos objetivos, realizadores, enérgicos e perseverantes, capazes de conquistar fama e fortuna mesmo lutando contra a sorte mais adversa.

A teimosia é um dos defeitos deste período, e até mesmo os tipos mais positivos nunca cedem terreno a ninguém, querendo sempre estar com a razão. Os tipos inferiores são cruéis, perversos, frios e insensíveis; amam o dinheiro e, quando o têm, costumam dedicar-se à usura.

Hora natal: entre 14h e 21h59m

Os virginianos nascidos neste período têm excepcionais qualidades de análise e crítica e podem dedicar-se a qualquer trabalho intelectual ou científico. São muito inclinados ao celibato, e quando se casam só o fazem depois dos 30 anos. As mulheres são elegantes, sóbrias, não demonstram seus sentimentos e dificilmente choram.

Este momento determina as pessoas muito rígidas, intolerantes para com os erros alheios e incapazes de esquecer ou perdoar. A personalidade é estranha, ora sociável ora retraída, e estes virginianos, embora vivam na cidade, sempre gostam de fugir para o campo em busca de silêncio e isolamento. Alguns destes virginianos são muito solitários e só procuram as luzes, os ruídos e a companhia humana quando estão com medo; medo da luta que sempre travam em seu íntimo, determinada pela oscilação às vezes muito presente nos nativos de Virgem.

Hora natal: entre 22h e 5h59m

Os virginianos que nascem neste período poderiam ser quase que perfeitamente enquadrados no tipo descrito no período anterior. Inteligentes, retraídos, concentrados, laboriosos e perseverantes, estes nativos de Virgem gostam da paz, da tranqüilidade e do silêncio.

Alguns destes virginianos têm uma personalidade objetiva, enérgica e sua mente é límpida e calma. Outros, porém, travam profunda luta interior e nunca chegam a solução alguma; não se subordinam à vida que levam mas têm medo de lutar por outra diferente; escondem-se sob uma máscara indiferente ou amigável, mas nunca revelam o que se passa em seu interior, e são apegados à família, mais como defesa do que por amor.

Os elementos negativos que sofrem a influência deste momento cósmico são preguiçosos; indecisos e passivos. Aceitam tudo, o bem e o mal, a virtude e o vício, porque não têm energia para escolher entre um e outro.

Tipo Virginiano–Venusiano

Data de nascimento: entre 12 e 22 de setembro

Qualidades: inteligência, sensibilidade, sociabilidade
Vícios: sensualidade, malícia, passividade

Hora natal: entre 6h e 13h59m

Os virginianos deste período são mais afetivos, sensíveis e sociáveis do que seus irmãos de signo nascidos nos dias anteriores. Os nativos deste momento cósmico podem possuir grandes qualidades artísticas e um delicado senso de beleza; estas tendências podem levá-los a cultivar a arte ou a comerciar com ela, podendo ter sucesso nas duas atividades.

Aqui estão unidas as benéficas influências de Vênus e os brilhantes raios de Mercúrio, e os virginianos que recebem essas vibrações podem ser os mais atraentes e agradáveis tipos de Virgem. Os elementos negativos são intrigantes, comodistas, sensuais, tagarelas e vaidosos ao extremo.

Os casos de celibato, entre os que nascem nos dez dias que vão de 12 a 22 de setembro, são em número bem menor, mas é bem maior a inclinação para a perversão sexual.

Hora natal: entre 14h e 21h59m

Este período irradia influências que podem determinar, no mesmo virginiano, uma grande inteligência, uma desenvolvida sensibilidade e uma natureza fria, desapaixonada e reservada. Os nativos deste aspecto fazem tudo de modo intenso e apaixonado, mas, como quase todos os nativos de Virgem, pouco revelam do que se passa em seu íntimo e mantêm uma aparência calma e desinteressada.

Estes nativos são muito meticulosos no vestir, têm muito bom-gosto e elegância e freqüentemente são agraciados com um físico extremamente atraente. Nos dez últimos dias de Virgem nascem os tipos mais afetivos, amorosos e simpáticos; por estranho contraste, justamente nestes dez últimos dias é que é maior a inclinação para a vida religiosa. Muitos destes virginianos ingressam num convento ou num claustro apenas porque têm medo de enfrentar o mundo, que lhes parece um antro de maldades e pecados.

Hora natal: entre 22h e 5h59m

Este é o período em que nascem os mais agradáveis nativos de Virgem. As vibrações deste momento cósmico tornam estes virginianos sensíveis, amáveis, generosos, afetivos e sociáveis. Às vezes a aparência física pode ser extraordinariamente favorecida, pois este período recebe forte influência de Vênus, que proporciona beleza e simpatia.

Os virginianos nascidos neste período são mais apegados à família e as probabilidades de felicidade no casamento são muito maiores; como estas irradiações tornam o virginiano muito mais fácil de ser amado, logicamente ele será mais feliz.

Os tipos inferiores deste período são relaxados, comodistas, intrigantes e tagarelas; outros, ainda, em oposição à castidade simbolizada pela Virgem, poderão demonstrar grande depravação e sensualidade.

VIRGEM E O ZODÍACO

Harmonias e desarmonias no plano das relações de amizade, de amor e de negócios entre os nascidos em Virgem e os nascidos em outros signos.

Nenhum ser humano vive protegido por uma campânula de vidro, livre do contato direto com seus semelhantes. No lar, na convivência com amigos ou no trato dos negócios estamos constantemente interagindo com inúmeras pessoas; algumas nos agradam porque têm um temperamento igual ao nosso ou porque nossas predileções são idênticas; outras não nos são simpáticas porque representam o oposto do que somos ou do que desejaríamos ser. Devemos aprender a conhecer nossos irmãos zodiacais e a apreciar suas qualidades. Observando-os, podemos saber se aquilo que neles existe e que nos parece ruim, talvez seja melhor do que o que existe em nós. Assim, o que seria motivo para antagonismos passa a atuar como fator de complementação e aperfeiçoamento.

Dentro da imensidão de estrelas que povoam a galáxia chamada Via Láctea, nosso Sol é um modesto astro de quinta grandeza, que se desloca vertiginosamente rumo a um ponto ignorado do Universo, carregando consigo seus pequeninos planetas com os respectivos satélites; dentro, porém, do conceito igualitário do Criador, esse diminuto Sol e a insignificante Terra, com seus mais ainda insignificantes habitantes, têm uma importância tão grande quanto o incomensurável conjunto de nebulosas e seus bilhões de estrelas.

Somos átomos de pó, comparados com as galáxias e as estrelas, mas cada um de nós é um indivíduo que vive e luta. Para nós, nossos próprios desejos, predileções, antipatias e simpatias têm uma magnitude infinita. Temos de enfrentar problemas dos quais dependem nossa felicidade e sucesso. Para resolvê-los, quase sempre precisamos entrar em contato com muitas outras criaturas que pertencem a signos diferentes do nosso.

Amor, amizade e negócios são os três ângulos que nos obrigam à convivência com outros tipos astrológicos. Analisando-os, estudaremos o inteligente signo de Virgem em relação aos demais setores do zodíaco. Conhecendo as qualidades positivas ou negativas dos nativos dos outros signos, o virginiano poderá encontrar a melhor fórmula para uma vivência feliz, harmônica e produtiva.

VIRGEM–ÁRIES. Áries é um signo que não oferece muitas possibilidades harmoniosas quando se defronta com Virgem. O virginiano, que é mais sensível e às vezes tem uma personalidade passiva e sugestionável, pode ser absorvido e dominado pelo ariano, que é dinâmico, apaixonado, voluntarioso e enérgico.

As características de Áries são profundamente diferentes das que são proporcionadas pelo signo de Virgem, e os nativos destes dois setores zodiacais possuem naturezas bem opostas. Enquanto os virginianos são prudentes, objetivos, calculistas e previdentes, os arianos são impulsivos, audaciosos, inconstantes e inquietos, não planejam nada, fazem sempre o que sua vontade determina, não atendem a conselhos ou razões, não se subordinam aos desejos alheios e são extremamente independentes e rebeldes.

Os nativos de Virgem têm grande sensibilidade psíquica e nervosa e costumam ser profundamente afetados pelas pessoas com que convivem mais assiduamente ou intimamente; eles devem sempre evitar relações muito estreitas com arianos de vibrações inferiores, pois estas poderão causar-lhes prejuízos imensos. No horóscopo dos virginianos, o signo do Carneiro corresponde à Casa da Morte, e da degeneração ou regeneração do indivíduo. Os arianos inferiores, que são materialistas e brutais, poderão causar grandes males aos nativos de Virgem, conduzindo-os à degeneração, que é uma forma de morte espiritual.

O ariano é bondoso, mas também é orgulhoso e autoritário. Quem precisar de seu auxílio deve pedir com respeito, se quiser ser atendido.

Amor — As possibilidades de um casamento feliz, entre virginianos e arianos, são muito relativas. O nativo de Virgem é sincero, leal e muito ciumento, e quando ama exige fidelidade e constância. O ariano não é perseverante em seu trabalho nem muito constante no amor; Áries é um signo impulsivo, que determina muita inquietude nos que nascem sob sua influência, e para ser feliz com um ariano é necessário entendê-lo bem.

Apesar de Virgem ser um signo passivo, os virginianos quase nunca têm um gênio muito calmo ou cordato; não se enfurecem com freqüência, mas a paciência não é uma de suas virtudes. Como os arianos são explosivos e seu gênio é muito violento, seguramente o matrimônio entre eles será perturbado por muitas brigas e discussões, podendo até mesmo culminar em separação. Os aspectos mais harmoniosos são os que se observam para os virginianos nascidos entre 12 e 22 de setembro, que melhor saberão entender os nativos de Áries.

Amizade — A personalidade dos arianos é sempre muito forte e dominadora, e os virginianos, para não serem absorvidos por indivíduos de vibração negativa, devem sempre procurar estabelecer relações com arianos superiores, cuja influência possa trazer-lhes benefícios.

Os nativos de Áries têm muita facilidade para travar amizade com pessoas altamente colocadas e, por intermédio deles, o virginiano poderá conseguir bons empregos ou apoio financeiro para seus empreendimentos. As amizades entre nativos destes dois signos, apesar de sinceras, sempre terão um vínculo profissional ou comercial e, além de satisfação, trarão, também, bastante lucro para ambas as partes.

Os virginianos devem evitar os arianos inferiores, que trarão danos à sua reputação e à sua moral; os que mais podem ser prejudicados por elementos negativos são os virginianos nascidos entre 12 e 22 de setembro.

Negócios — Nas associações comerciais, os resultados são duvidosos, havendo possibilidade de vários desentendimentos e discussões. Os virginianos são metódicos, prudentes e laboriosos e dedicam-se apaixonadamente ao seu trabalho. Os arianos são muito ardentes e apaixonados no início de suas empresas, mas seu entusiasmo é quase sempre passageiro e seu sistema de ação sofre as alternativas do seu interesse ou desinteresse, o que não os torna sócios muito convenientes para o virginiano.

Os tipos positivos de Áries estão livres dessas debilidades e, associando-se a eles, o nativo de Virgem terá muita sorte e lucro, pois sua inteligência e senso prático se unirão favoravelmente à ardente capacidade criadora e organizadora dos nativos de Áries. Todas as questões surgidas entre arianos e virginianos devem ser resolvidas pacificamente; se forem levadas aos tribunais, os resultados nem sempre serão benéficos aos nativos de Virgem.

VIRGEM–TOURO. Estes dois signos possuem vibrações muito harmoniosas e seus nativos têm muitos pontos de afinidade. Virginianos e taurinos são assimilativos, laboriosos, inteligentes, persistentes e concentrados; ambos sabem escolher o que é útil e tiram o maior proveito de todas as coisas; ambos são afetivos, amorosos e sensíveis.

Touro e Virgem pertencem ao elemento terra e representam a força de coesão, assimilação e repressão, na natureza; isto se reflete nos virginianos e taurinos, dando-lhes a tendência de resistir às transformações, proporcionando o conhecimento baseado nas experiências repetidas e a elevação mediante a reflexão e a meditação. Como o taurino pertence a um signo de ritmo fixo, ele é extremamente obstinado e recebe mais poderosamente as induções do elemento terra; o virginiano, todavia, em virtude da regência do inquieto Mercúrio e da característica mutável de seu signo, tem uma natureza muito mais flexível e adaptável e uma inteligência mais eclética que a do taurino.

Os virginianos devem evitar os nativos de Touro, quando inferiores, pois os raios negativos de Vênus, que é o regente de Touro, podem causar graves males àqueles que têm uma personalidade mais passiva e submissa. As relações com taurinos superiores serão muito benéficas para os nativos de Virgem, favorecendo sua posição e sua fortuna.

O taurino é generoso, fraterno, compreensivo e jamais nega seu auxílio a quem quer que seja. Os tipos negativos, porém, são desonestos e utilitários e costumam tirar mais do que dão.

Amor — Na vida amorosa dos virginianos existe a possibilidade de uma separação. Essa promessa, naturalmente, não é definitiva e muitos nativos de Virgem podem esperar uma vida matrimonial feliz, próspera e duradoura. Outros, porém, por não fazerem uma escolha acertada ou por colocarem a piedade ou o desejo de ajudar no lugar do amor, certamente não terão muita felicidade e viverão separados do cônjuge, que tanto poderá abandonar o lar como ficar confinado em algum hospital ou penitenciária.

Nos matrimônios entre os nativos destes dois signos, a separação poderá ser provocada por assuntos de dinheiro ou por intrigas por parte de algum membro da família do taurino. Empregados ou subalternos também poderão causar prejuízos por calúnia ou difamação. Os casamentos mais felizes geralmente acontecerão quando os nativos de Virgem se unirem a taurinos nascidos entre 21 e 29 de abril.

Amizade — As amizades entre aqueles que nascem sob as estrelas destes dois signos serão sinceras, prolongadas e úteis. Os virginianos poderão ser altamente beneficiados quando se associarem fraternalmente aos nativos de Touro, pois a proximidade destes criará campo magnético favorável às suas realizações intelectuais, artísticas ou comerciais. Durante uma viagem, ou ao tratar de assuntos relativos a uma viagem, o virginiano poderá travar relações com um taurino, que será de benéfica influência em sua vida e em sua fortuna.

O nativo de Virgem deverá sempre procurar a companhia de pessoas de alto nível social e intelectual, pois terá resultados maléficos quando conviver com pessoas de posição ou educação inferior. Quanto maior a importância social ou financeira dos taurinos, mais sorte eles trarão para os virginianos, que serão favorecidos em seus negócios e em seu prestígio pessoal.

Negócios — Touro e Virgem prometem bastante êxito nas associações comerciais. Taurinos e virginianos são prudentes, sagazes, laboriosos e persistentes, possuindo as qualidades necessárias para vencer em todos os empreendimentos. Ambos os tipos, todavia, pecam pela falta de audácia; geralmente pensam muito antes de agir e assim deixam escapar excelentes oportunidades. Na verdade, o virginiano é mais agressivo e impulsivo que o nativo de Touro, mas, mesmo assim, ainda é muito lento, o que nos negócios às vezes é prejudicial.

Quando taurinos e virginianos positivos e enérgicos se unem, o sucesso é sempre certo e o lucro é sempre rápido, pois estes tipos aliam a audácia e a combatividade às suas qualidades naturais. Os virginianos devem evitar todas as associações com taurinos negativos, especialmente os que nascem entre 30 de abril e 9 de maio, que podem ser desonestos e trapaceiros.

VIRGEM–GÊMEOS. Mercúrio é o regente comum de Virgem e Gêmeos; em cada um dos signos suas vibrações sofrem ligeira alteração, embora sua essência permaneça a mesma. Em Gêmeos, que é um signo de ar, ele se apresenta com a feição juvenil e inquieta de Castor e Pólux, os dois gêmeos de sua figura simbólica. Em virtude das vibrações mais lentas e pesadas do elemento terra, em Virgem ele é menos brilhante, porém mais profundo, mais adulto, e suas irradiações perdem em intensidade, mas ganham em valor.

Virgem e Gêmeos proporcionam grandes dotes intelectuais aos seus nativos, dando-lhes a faculdade de analisar, assimilar, memorizar e aprender. Favorecem a energia mental, dinamizam as funções cerebrais e proporcionam inclinação para as atividades artísticas, intelectuais e científicas; determinam, também, graças à vibração mercurial, o maravilhoso dom de perceber e entender, de distinguir sons, formas e cores e de expressar sentimentos, emoções e idéias através da palavra e do gesto.

Virgem tem alguns pontos de superioridade sobre Gêmeos, pois sua irradiação é mais concentrada e profunda.

Ambos os signos são mutáveis, o que determina muita inquietude em seus nativos; os virginianos, porém, são mais persistentes e consistentes que os geminianos e por isso, às vezes, conseguem realizar o que desejam com muito mais facilidade e rapidez.

O geminiano oscila entre o afeto e a indiferença, o egoísmo e a generosidade; quem precisar de seus favores deve procurar falar com ele no momento certo, senão dificilmente será atendido.

Amor — No horóscopo fixo dos virginianos, o signo de Gêmeos corresponde à Casa da posição social. Um casamento com alguém nascido sob as estrelas dos Gêmeos poderá arruinar ou elevar socialmente o virginiano. Quando o nativo de Virgem se afeiçoar a alguém de Gêmeos deve procurar escolher um tipo positivo, pois, caso contrário, o matrimônio poderá ser a causa de sua queda social.

Ambos, geminianos e virginianos, têm em seu destino o risco de uma separação, amigável ou judicial. Estes signos prometem um matrimônio perturbado por brigas e intrigas, o que só não acontecerá quando se unirem tipos evoluídos que saibam apreciar as boas qualidades e perdoar os defeitos comuns. Uma união ilícita poderá separar o virginiano de seu cônjuge, causando grande prejuízo à sua reputação e trazendo, também, grave abalo financeiro.

Amizade — As amizades entre virginianos e geminianos prometem mais estabilidade e harmonia do que os matrimônios ou uniões. Os nativos de Gêmeos são excelentes companheiros, sempre alegres, gentis e sinceros, mas pecam pela inconstância. Os virginianos, que são mais perseverantes em suas afeições e costumam magoar-se bastante quando se supõem desprezados pelos amigos, terão que se armar de paciência se quiserem manter relações com os geminianos, que vivem sempre em busca de novidades e aparecem e desaparecem no horizonte como astros inquietos. Perdoando-lhes esta debilidade, os nativos de Virgem neles encontrarão companheiros fiéis e agradáveis, que poderão ter benéfica influência em seu sucesso e em sua posição social.

Os virginianos devem evitar os tipos negativos, pois poderão envolvê-los em questões ou escândalos que trarão desagradável reflexo em sua vida íntima, em sua vida profissional e em sua posição social.

Negócios — As associações comerciais entre nativos de Gêmeos e Virgem apresentam aspectos excepcionalmente favoráveis, prometendo sucesso tanto no comércio como em qualquer atividade científica, artística ou literária. Devido à influência de Mercúrio, geminianos e virginianos poderão ter grande êxito no teatro, no rádio, no cinema ou na televisão, quer escrevendo, dirigindo ou interpretando. Também a publicidade, o jornalismo, a literatura e todos os assuntos relacionados com a palavra escrita ou falada prometem prestígio e fortuna a ambos os tipos astrológicos.

Estes bons prognósticos só se aplicam aos tipos superiores. Os negativos dificilmente arranjarão energia para lutar; os inferiores estarão tão ocupados tentando enganar-se mutuamente que não arranjarão tempo para ganhar dinheiro. Na fraude e na desonestidade os virginianos de má qualidade sempre perderão para os geminianos inferiores, que são muito mais maliciosos.

VIRGEM–CÂNCER. Cancerianos e virginianos podem conviver em bastante harmonia, pois, embora Virgem seja um signo de terra e Câncer pertença ao elemento água, o que determina certa oposição, Mercúrio e Lua, regentes de ambos, têm grande afinidade.

Os cancerianos são amáveis, generosos, comunicativos e sociáveis. São extremamente afetivos, gentis com seus amigos e amorosos com seus familiares. São tipos astrológicos muito humanos e agradáveis e os virginianos sempre encontrarão prazer e conforto em sua companhia. É necessário, porém, muito cuidado com os cancerianos negativos, que tanto podem ser intrigantes e maliciosos, como crédulos e fanáticos, vivendo sempre às voltas com rituais de baixa magia ou de baixo espiritismo e sendo manejados por charlatães de toda espécie.

O virginiano poderá aprender muito com o nativo de Câncer de tipo superior, que recebe a pura, mística e elevada vibração lunar, que desenvolve a sensibilidade e proporciona extraordinárias faculdades mediúnicas. Deve evitar, porém, a companhia dos tipos inferiores, que recebem as maliciosas e cruéis irradiações da Lua Negra, que espalha a infelicidade e a discórdia. O nativo de Virgem freqüentemente tem a mania de fazer confissões ou confidências e todas as palavras que disser a estes cancerianos inferiores serão espalhadas sob a forma de intriga e calúnia, trazendo-lhe muitos aborrecimentos.

Os cancerianos são bondosos e humanos. Quem necessitar de seu auxílio sempre será atendido, desde que seu pedido não interfira na vida particular dos nativos de Caranguejo, que não gostam de intrusos em sua intimidade.

Amor — Ao contrair matrimônio com alguém nascido em Câncer o virginiano poderá estar certo de ter feito a melhor escolha possível, pois o canceriano é amoroso, sincero, dedicado e fiel.

Unindo-se a um tipo positivo, o nativo de Virgem terá, em seu cônjuge, um amante e um companheiro, pronto para todas as aventuras, todas as alegrias e todas as dores. Nestes casamentos sempre existe uma promessa de maior número de filhos, pois o signo de Câncer é muito fértil.

Se fizer uma escolha menos acertada e unir seu destino a um canceriano inferior, o virginiano terá muito com que se preocupar, pois o amor se transformará em ódio, o cônjuge se tornará um inimigo e procurará prejudicá-lo de todas as maneiras. As uniões com tipos negativos, principalmente quando nascidos entre 4 e 13 de julho, segundo decanato de Câncer, quase sempre acabarão em separação ruidosa e desagradável.

Amizade — Pessoas nascidas no signo de Câncer sempre exercerão grande influência sobre os virginianos que, muitas vezes, ouvirão mais os seus conselhos do que os de seus familiares e de seus companheiros mais chegados. É indispensável, portanto, que o nativo de Virgem escolha com o máximo critério seus amigos de Câncer, para que não venha a sofrer a influência de uma criatura de vibrações inferiores.

No Caranguejo, o virginiano encontrará grandes amigos mas também poderá encontrar perigosos adversários. Os cancerianos sabem ser leais, sinceros e desinteressados, mas quando odeiam o fazem de modo profundo; o virginiano às vezes fere cruelmente com suas palavras impensadas ou com sua crítica nem sempre suave, e assim poderá perder a amizade de mais de um canceriano, que jamais costuma perdoar as ofensas que lhe fazem.

Negócios — Os aspectos relativos às associações comerciais entre Câncer e Virgem são muito favoráveis. Lua e Mercúrio favorecem o comércio, a arte e todas as atividades que exigem trato direto com o público; virginianos e cancerianos conseguirão grande lucro e sucesso, se souberem escolher uma profissão ou negócio que combine com a personalidade de ambos.

Naturalmente todos os bons presságios se referem aos negócios feitos entre elementos positivos que, além de enérgicos e dinâmicos, são também honestos. Cancerianos e virginianos às vezes são tímidos, indecisos, não têm coragem para enfrentar competidores ou lutar em campo aberto; para esses nenhum negócio dará certo. Outras vezes, também, os raios negativos da Lua e de Mercúrio induzem à desonestidade e a sociedade não trará benefício a nenhum dos sócios, podendo até terminar num tribunal.

Os virginianos nascidos entre 2 e 11 de setembro não se harmonizarão muito com os cancerianos, nem nos negócios nem no amor.

VIRGEM–LEÃO. Existem profundas diferenças entre Virgem e Leão, que é um signo de fogo e tem a regência do Sol, e que, embora tenha afinidade com Mercúrio, também tem a tendência de absorvê-lo.

Virginianos e leoninos têm naturezas muito diferentes. Os nativos de Leão são exuberantes, generosos, dinâmicos, alegres, imprevidentes e fazem tudo com o coração em vez de com a razão. Sendo o trono do Sol, Leão dá aos seus nativos uma imensa vitalidade, um intenso magnetismo animal e uma personalidade extremamente atraente e simpática. Quase todos os tipos astrológicos se sentem fascinados pelos leoninos, mas, ao mesmo tempo, sentem-se perturbados por sua intensidade. O virginiano não foge à regra: aprecia o nativo de Leão, mas não tem quase nenhuma afinidade com ele.

No horóscopo mensal, fixo, dos nativos de Virgem, o signo de Leão ocupa a Casa correspondente aos inimigos, às prisões, confinamentos e mistérios ocultos. Os virginianos deverão acautelar-se contra a influência negativa dos raios leoninos, que induzem ao prazer, ao jogo e aos excessos amorosos. Por imprudência em sua conduta, poderão sofrer severos prejuízos em sua reputação ou em sua situação financeira. O Leão é um signo que empresta muita dignidade aos seus nativos, que até no ódio são generosos; os leoninos negativos, porém, são bajuladores, intrigantes e caluniadores, apresentando o reverso da personalidade dos seus irmãos superiores.

Leão dá muita generosidade e amabilidade aos seus nativos. Quem precisar de seus favores deve agir com absoluta honestidade, pois, a despeito de sua liberalidade, o leonino não admite fraude ou mentira.

Amor — Os virginianos são afetivos e constantes, mas padecem muito do mal do ciúme. Não gostam que a criatura amada divida sua atenção com outras pessoas e freqüentemente têm o hábito de ler suas cartas e procurar descobrir seus segredos. Os nativos de Leão costumam exercer forte atração sobre o sexo oposto e geralmente são alvo de atenções amorosas inesperadas e até embaraçosas. Na verdade, eles também gostam das pessoas do outro sexo, mas nem sempre com segundas intenções e, por ciúmes, sua vida matrimonial com os virginianos será bastante tempestuosa e tensa.

Intrigas, cartas anônimas ou infidelidade conjugal poderão ser causa de separação entre os nativos desses dois signos. As maiores probabilidades harmoniosas acontecerão para os virginianos que se afeiçoarem a alguém nascido entre 22 de julho e 2 de agosto; este decanato do Leão tem a regência do Sol, que se harmoniza bem com Mercúrio.

Amizade — Nas amizades, os aspectos oferecidos entre Virgem e Leão são mais favoráveis do que nos casamentos. Como nada existe em comum além do afeto fraterno, há menos possibilidade de brigas, ressentimentos e mágoas. Não obstante, como o virginiano gosta de criticar e possui uma língua ferina, se quiser conservar seus amigos leoninos deve abster-se de criticá-los, pois os nativos de Leão são altamente suscetíveis ao ridículo e à censura.

Mais uma vez achamos prudente recordar que as confissões, confidências ou intimidades com pessoas mal escolhidas sempre serão causa de dores e prejuízos para os virginianos. Os leoninos inferiores devem ser evitados, pois usarão seu conhecimento das fraquezas dos nativos de Virgem para enodoar sua reputação. Os melhores prognósticos para as amizades entre nativos destes dois signos são encontrados quando os virginianos se ligam fraternalmente a leoninos nascidos entre 22 de julho e 2 de agosto, primeiro decanato de Leão.

Negócios — Os aspectos relativos aos negócios também podem oferecer alguns ângulos favoráveis para os nativos de Virgem e Leão. Os leoninos, que têm uma imaginação fértil e uma inteligência brilhante, são capazes de criar estupendos projetos mas não têm a necessária ordem e método para organizar e construir, objetivamente, suas magníficas criações. Os virginianos poderão complementá-los muito bem, pois os leoninos sempre precisam ter alguém em quem se apoiar em suas realizações; não lhes falta coragem ou ânimo para enfrentar a luta, mas não sabem fazer nada sozinhos, seja divertir-se ou trabalhar.

Intrigas ou questões financeiras podem provocar desentendimentos entre os sócios. Há perigos de discussões sérias e até mesmo de questões judiciais, principalmente quando os virginianos se associam aos leoninos nascidos entre 13 e 22 de agosto, decanato regido por Marte, que é hostil a Mercúrio.

VIRGEM–VIRGEM. As relações entre nativos do mesmo signo tanto podem ser harmoniosas como discordantes; como ambos possuem as mesmas qualidades e defeitos, tanto poderá existir perfeita paz como constante guerra nas associações que porventura fizerem.

Alguns virginianos, ante uma vontade mais forte, tendem sempre a submeter-se fisicamente, mas não mentalmente: como conseqüência, eles têm uma atitude aparentemente passiva, mas interiormente são perturbados por um processo mental todo feito de revolta surda e rancor silencioso. Quem tiver de lidar com eles estará sujeito às mesmas surpresas que teria alguém que se sentasse, inadvertidamente, sobre a boca de um vulcão, escondida por uma leve camada de terra.

Outros virginianos já são positivos, enérgicos, donos de sua própria vontade, sabem conduzir-se com acerto, são prudentes, porém agressivos, e não se sujeitam ao domínio alheio. Quando esses tipos positivos se encontram, as relações que se estabelecem são excelentes, proveitosas e agradáveis e influirão beneficamente na posição social e nas finanças.

Os virginianos, quando se aliam, devem evitar demasiada intimidade com vizinhos, subalternos, empregados ou pessoas de condição social inferior, que sempre trarão aborrecimentos e prejuízos.

Os virginianos positivos são bondosos, generosos e compreensivos; os negativos são egoístas, indiferentes e invejosos. Quem precisar de um favor trate de procurar os primeiros, porque com os outros nada conseguirá.

Amor — As uniões e casamentos entre virginianos positivos serão felizes, prósperos e agradáveis, estando, para estes, afastado o perigo de separação. Os matrimônios entre elementos negativos sempre serão um fracasso, quer se realizem entre virginianos, quer o virginiano se case com qualquer outro tipo astrológico.

Na vida do nativo de Virgem tudo dependerá de sua boa ou má escolha. Em todos os momentos críticos ele disporá de dois caminhos, um dos quais lhe oferecerá felicidade, ao passo que o outro só lhe trará amargura. No casamento ele também se defrontará com a mesma encruzilhada: se escolher mal terá apenas lágrimas e desgostos, além de se ver prejudicado em sua posição social.

É sempre prudente meditar muito antes de tomar uma resolução definitiva, pois mesmo separando-se do cônjuge, o virginiano quase sempre permanecerá preso a ele e dificilmente conseguirá construir uma nova vida.

Amizade — As relações de amizade entre os nativos de Virgem poderão ser muito mais harmoniosas e agradáveis do que os casamentos ou uniões amorosas.

Os que nascem no mesmo decanato sempre têm mais pontos de afinidade do que os que nascem em decanatos diferentes. Por exemplo, os virginianos que têm seu momento natal entre 12 e 22 de setembro, período que recebe a influência participante de Vênus, harmonizam-se bem entre si e não sentem a mesma afinidade pelos que pertencem aos demais decanatos de Virgem.

Os aspectos inferiores do signo de Virgem são bastante maléficos. Os virginianos devem acautelar-se contra seus irmãos de signo de vibrações inferiores, pois poderão sofrer reflexos desfavoráveis em sua fortuna, em sua posição e em sua vida doméstica. Os tipos de baixa evolução espiritual nascidos entre 2 e 11 de setembro são muito perigosos por sua crueldade, frieza emocional e malícia.

Negócios — O signo de Virgem, além de proporcionar muita inteligência aos seus nativos, também lhes dá grande habilidade para ganhar dinheiro. Todas as associações comerciais estabelecidas entre virginianos dão esplêndidos resultados; naturalmente, é condição indispensável que ambos sejam elementos positivos, porque os virginianos, quando negativos, além de terem uma vontade débil, às vezes são bastante inconstantes e preguiçosos.

Nas relações comerciais é sempre bom evitar intimidades com empregados ou subalternos que mais tarde procurarão espalhar a discórdia entre os sócios, seja por vingança ou por inveja. Os virginianos estarão sempre sujeitos a aborrecimentos com empregados, tanto em seu lar como em seu trabalho. Por essa razão devem manter todos os papéis e documentos relativos aos serviços em absoluta ordem, devem tratá-los com cortesia, mas jamais permitir que abusem de sua confiança ou da sua boa-fé.

VIRGEM–LIBRA. O signo de Libra pertence ao elemento ar, tem uma constituição quente-úmida e está sob a regência de Vênus, que neste setor zodiacal assume a serena e bela feição de Têmis, a deusa da Justiça, e tem suas qualidades sublimadas pela energia expansiva do elemento ar.

Em Virgem, Vênus se deprime, isto é, encontra campo magnético desfavorável e seus raios se inibem; em virtude dessa depressão venusiana, cujas vibrações são responsáveis pelos sentimentos cálidos e afetuosos, muitos virginianos se inclinam ao celibato e às vezes até mesmo à vida monástica.

Os librianos são emotivos, sensíveis, exigentes refinados, às vezes amorosos, às vezes sensuais. Eles têm uma imensa capacidade de trabalho, uma inteligência desenvolvida, uma vontade constante e firme e idéias muito particulares sobre o homem, seus direitos e seus deveres. Preferem as atividades intelectuais, detestam o esforço muscular e têm extremo cuidado e carinho com o próprio corpo. Os virginianos têm as mesmas qualidades mentais que os nativos de Libra, mas não são exigentes, refinados e requintados como eles. Existe, todavia, certa compreensão entre virginianos e librianos em virtude da própria importância mística dos seus signos; Virgem é a Porta do Mundo. Libra é o primeiro setor em que o indivíduo deixa de estar só e se associa, no amor ou nos negócios.

O libriano é muito justo e imparcial; sente, porém, grande indiferença pelos problemas alheios. Aqueles que solicitarem seu auxílio só serão atendidos se o pedido for muito justo.

Amor — O nativo de Libra faz do lar e da família uma espécie de sacrário, que gosta de manter longe de olhares e contatos profanos. Fora, na rua, em seus negócios ou passeios, faz muitas relações, mas só admite em sua intimidade aqueles que lhe inspiram absoluta confiança ou que, por sua posição social, sua fortuna ou por seus dotes artísticos ou intelectuais, tenham algum mérito especial.

A maior parte das brigas entre cônjuges virginianos e librianos será provocada por elementos estranhos que interferirão na vida do casal, pois o virginiano não é muito exigente na escolha de seus amigos. Empregados ou subalternos também poderão perturbar a paz doméstica com intrigas e calúnias.

Os casamentos mais felizes acontecerão para os virginianos nascidos entre 12 e 22 de setembro; este decanato recebe a influência participante de Vênus, que oferece, assim, uma harmonia maior com os librianos.

Amizade — Os librianos são muito sociáveis, gostam de ter amigos e geralmente sabem escolhê-los bem. Procuram sempre a companhia de pessoas de condição social igual ou superior à sua, costumam freqüentar os meios cultos e elegantes e são muito exigentes em seus hábitos e em suas roupas. O virginiano é mais simples, não admite muitas diferenças sociais ou raciais e está sempre pronto a freqüentar todos os ambientes e a admitir todas as companhias.

Os nativos de Libra só conviverão bem com os virginianos mais evoluídos que, possuindo a tendência fraterna de considerar todos os homens irmãos, sabem, no entanto, evitar a companhia de criaturas inferiores. Sob outro aspecto, os nativos de Virgem devem evitar os librianos negativos, principalmente os nascidos entre 2 e 11 de outubro; este decanato recebe a influência participante de Urano, cujos raios negativos são muito destrutivos e maléficos.

Negócios — Nas associações comerciais os prognósticos oferecidos para os virginianos e os librianos são bem promissores. Os nativos de Libra, a despeito do seu comodismo, do seu amor ao conforto e do seu desprezo pelo esforço físico, são trabalhadores diligentes e comerciantes bem espertos. Os virginianos, que têm a maravilhosa qualidade de entender e assimilar, estando capacitados para exercer qualquer atividade, poderão complementar muito bem os librianos; será uma sociedade que trará prazer a ambas as partes, principalmente quando os lucros forem elevados, pois tanto os nativos de Libra como os de Virgem gostam muito de dinheiro.

As melhores associações comerciais acontecerão entre os virginianos nascidos no primeiro decanato de Virgem, entre 23 de agosto e 1º de setembro; este período recebe a pura influência de Mercúrio, que se harmoniza muito bem com o aéreo signo da Libra.

VIRGEM–ESCORPIÃO. O signo de Escorpião é um dos mais estranhos setores zodiacais. Pertence ao elemento água e sua polaridade é passiva ou feminina; seu regente, todavia, é Marte, que é um planeta de polaridade masculina e de constituição ígnea, o que equivale a dizer que Escorpião é um signo de vibrações enigmáticas, violentas e discordantes, onde o plácido elemento água às vezes se transforma em fervente mundo líquido, agitado pela agressividade da transformadora e dinâmica vibração marcial.

Assim, os escorpianos, que deveriam ter a personalidade simples, alegre, pacífica e amorosa dos cancerianos ou dos piscianos, revelam a mesma audácia, violência e intensidade dos nativos do signo de Áries, que também é regido por Marte; são, todavia, mais prudentes e calculistas que os arianos e possuem uma vontade inabalável e uma teimosia sem limites. Os virginianos costumam levar a melhor quando entram em choque com os arianos, mas sempre saem perdendo quando hostilizam os nativos de Escorpião. Devem sempre evitar os tipos inferiores de qualquer signo astrológico, mas precisam ter especial cautela com os escorpianos negativos, pois no zodíaco fixo o signo de Escorpião corresponde à Casa da Morte, dominando sobre a aniquilação física e a morte espiritual, através da degeneração e do vício; para o virginiano, que tem um delicado sistema nervoso, a presença de um escorpiano negativo pode causar grandes males.

O escorpiano é voluntarioso e dominador, mas sabe agir com generosidade. Não gosta, porém, de ser enganado e quem precisar de um favor seu, se quiser ser atendido, deve falar com absoluta sinceridade.

Amor — As uniões ou casamentos entre escorpianos e virginianos só serão felizes quando pessoas positivas e evoluídas se unirem. Os tipos negativos destes dois signos têm, ambos, línguas ferinas, gênio explosivo, pouca paciência e assim a vida conjugal será uma verdadeira arena onde se travarão constantemente batalhas, principalmente verbais.

O nativo de Escorpião é apaixonado, amoroso, ciumento em excesso e muito exclusivista. Geralmente não gosta de esconder suas emoções e sentimentos e não será muito paciente com a natureza estranha, às vezes comunicativa e às vezes retraída, dos virginianos. Matrimônios bem felizes poderão ser desfeitos em virtude de intrigas ou calúnias de inimigos ocultos ou empregados e pessoas de condição social inferior.

Os casamentos mais harmoniosos acontecerão quando os nativos de Virgem se afeiçoarem a escorpianos nascidos entre 11 e 21 de novembro.

Amizade — Devido a esses estranhos mistérios determinados pelas influências cósmicas, os escorpianos tanto poderão ser amigos-irmãos dos virginianos, como poderão ser os responsáveis por sua infelicidade. É necessário, portanto, grande cautela na escolha dos companheiros nascidos sob as estrelas de Escorpião que, quando superiores, trarão grandes benefícios, serão amigos fiéis e sinceros e estarão sempre prontos para ajudar em todas as horas necessárias.

Os nativos de Virgem não devem criticar ou ridicularizar seus camaradas escorpianos, pois estes não perdoam as humilhações e podem transformar-se em inimigos perigosos, rancorosos e vingativos. Os escorpianos positivos terão imenso valor na vida dos virginianos, mas os negativos causarão males muito grandes, cujas conseqüências se refletirão na vida doméstica, nas finanças e até mesmo na saúde dos nativos de Virgem.

Negócios — O escorpiano é muito hábil na arte de negociar. Possui um desenvolvido faro comercial, sabendo descobrir as coisas que dão lucro e as que trazem prejuízo. É um trabalhador incansável e, embora tenha uma natureza muito independente, costuma obedecer às ordens daqueles nos quais reconhece superioridade. Entrosando-se bem com a personalidade agressiva, porém franca e honesta do escorpiano, o nativo de Virgem poderá ter relativo sucesso nas associações que com ele fizer.

Em qualquer negócio estabelecido entre nativos de Virgem e de Escorpião existirá sempre o risco de questões por dinheiro e complicações relativas a papéis e documentos. Será sempre necessário estudar cuidadosamente toda a documentação a fim de evitar aborrecimentos futuros. O escorpiano não perdoa quando julga estar sendo enganado, e Marte, cada vez que lida com

Mercúrio, sempre tem medo de ser logrado pelo hábil deus do Comércio.

VIRGEM–SAGITÁRIO. Os sagitarianos são generosos, bondosos, dominadores, exclusivistas, independentes e comodistas. Não gostam muito do esforço físico, estão sempre dispostos a auxiliar o próximo e gostam de ser obedecidos e respeitados. Juntando-se essas características às suas excepcionais qualidades de organização e à sua brilhante inteligência, temos neles bons amigos, magnânimos protetores, amantes fiéis e realizadores extraordinários.

Os sagitarianos, a despeito de todas as suas virtudes, sempre necessitam de alguém que lhes sirva como elemento de complementação, pois sabem criar, dirigir e comandar, mas necessitam de quem ponha em funcionamento e conserve em perfeito estado a estrutura de suas realizações. O virginiano, com sua viva inteligência, é sempre um colaborador muito apreciado pelo nativo de Centauro; dificilmente, porém, ambos convivem em grande harmonia porque Mercúrio não goza da simpatia de Júpiter, o generoso senhor de Sagitário.

Os virginianos devem procurar superar todas as questões pessoais e devem buscar a companhia constante de sagitarianos positivos, pois serão muito beneficiados; inclusive, muitas vezes encontrarão neles o amparo moral que lhes faltou na casa paterna. Por outro lado, os nativos de Sagitário, quando inferiores, causarão grandes males aos nativos de Virgem, inclinando-os ao jogo, aos vícios e aos prazeres.

O sagitariano é humano e generoso e gosta de auxiliar a quem necessita. Agrada-lhe ser considerado como um benfeitor, mas é orgulhoso e vaidoso e gosta de ser tratado com muito respeito.

Amor — O sagitariano é sensual, não sabe amar platonicamente e sempre gosta de juntar o ideal ao real. Por essa razão, muitos nativos de Sagitário, quando fazem um casamento insatisfatório, não se conformam e continuam procurando a companhia com que sempre sonharam, capaz de satisfazer tanto suas exigências físicas como suas necessidades espirituais.

Casando-se com um nativo de Sagitário, de vibração positiva, o virginiano poderá ser muito feliz, desde que procure entender a natureza de seu cônjuge, que é vaidoso, dominador e exigente. Intrigas de família, questões de dinheiro ou acontecimentos misteriosos relacionados com parentes poderão fazer com que os virginianos se incompatibilizem e até mesmo se separem de seu cônjuge sagitariano. Os matrimônios mais felizes acontecerão quando os nativos de Virgem se afeiçoarem a alguém nascido entre 11 e 21 de dezembro; este decanato de Sagitário está sob a proteção do Sol, que se harmoniza bem com Mercúrio.

Amizade — Os sagitarianos são sempre criaturas muito bem relacionadas. São muito sociáveis, fazem amigos com facilidade, estão sempre presentes nas horas difíceis, gostam de ser bem tratados, apreciam a boa comida, a boa música, as palestras agradáveis e sentem enorme necessidade de companhia.

Os amigos nascidos sob o signo do Centauro poderão ter grande e benéfica influência na vida dos virginianos; não só os ajudarão e protegerão em seus negócios, como também facilitarão o contato com pessoas importantes e de alta posição, que serão de grande utilidade em seus negócios e projetos. Por suas críticas nem sempre justas os nativos de Virgem poderão perder excelentes companheiros, pois o sagitariano não gosta de ser ridicularizado ou censurado. Os melhores aspectos para as amizades se observam quando os virginianos se afeiçoam às pessoas nascidas entre 11 e 21 de dezembro; este período é um dos mais favoráveis, pois está sob a benéfica proteção do Sol.

Negócios — As probabilidades harmoniosas existentes nas relações entre virginianos e sagitarianos diminuem quando estes se associam por motivos comerciais. Os dois tipos astrológicos se complementam bem; enquanto um cria, organiza e dirige, o outro constrói e conserva. Essa boa paz, todavia, só existe na teoria, porque na prática ambos se hostilizam bastante. O sagitariano tem sempre a tendência para dominar e o virginiano, que se sujeita a todas as situações, não aceitará o seu domínio porque, em questões de dinheiro, ele nunca é passivo.

Antes de iniciar quaisquer negócios, todos os seus termos devem ser bem esclarecidos e documentados, para que mais tarde não venham a surgir questões entre os sócios. Todos os papéis e assinaturas devem ser bem verificados e as finanças devem sempre ser bem claras, pois o sagitariano não é muito malicioso em questões de dinheiro e sempre tem medo de ser enganado.

VIRGEM–CAPRICÓRNIO. O capricorniano é concentrado, reservado, individualista, inteligente, perseverante e inflexível em seus propósitos. Convivendo com ele, o nativo de Virgem deve evitar as confidências e jamais deve revelar suas fraquezas, pois o nativo da Cabra Marinha tem o raro dom de aproveitar os defeitos dos outros em seu próprio benefício. É lógico que os capricornianos superiores são generosos, bondosos e compreensivos, mas os tipos inferiores não hesitam em lançar mão da intriga, da chantagem ou da calúnia quando querem fazer mal a alguém.

Enquanto o signo de Virgem representa a assimilação, Capricórnio simboliza a realização. O virginiano tem a tendência de se aproveitar das experiências, suas e alheias, para realizar seus objetivos; o capricorniano aproveita pessoas, idéias e experiências, sendo um realizador prático, que dificilmente erra porque estuda antes as falhas que os outros cometeram e que sempre sabe escolher os elementos certos para construir o que deseja.

Os capricornianos negativos devem ser evitados pelos nativos de Virgem, que sofrerão sua influência maléfica e destrutiva. Os raios inferiores dos filhos da Cabra Marinha poderão conduzir os virginianos ao descrédito e à desonra, seja por escândalos provocados por ligações amorosas ilícitas ou por jogo ou excesso de prazeres.

O capricorniano é reservado, jamais demonstra seus sentimentos e tem uma natureza difícil de se comover e de se deixar levar pela piedade; quem precisar de seu auxílio terá que pedir ajuda à sua boa estrela.

Amor — Já dissemos que o virginiano é afetivo, calmo, concentrado, constante e sincero, mas que dificilmente revela seus pensamentos e raramente exterioriza suas emoções; o capricorniano é ainda mais fechado e reservado que o nativo de Virgem. Assim, as uniões ou casamentos entre ambos nunca terão um caráter apaixonado, ardente, impetuoso, mas poderão ser duradouras, felizes e seguramente trarão fortuna e prestígio.

Por alguma questão ou intriga relacionada com o sexo oposto, o virginiano poderá separar-se de seu cônjuge, que será ciumento e muito rigoroso. Ao contrair matrimônio com alguém de Capricórnio, o nativo de Virgem deve ser muito prudente porque qualquer erro que cometer se refletirá, de modo intenso, em sua fortuna e em sua posição social e ele ainda se verá separado dos filhos.

Os casamentos mais felizes acontecerão para os virginianos que se unirem a alguém nascido entre 10 e 20 de janeiro, terceiro decanato de Capricórnio.

Amizade — As relações de amizade entre virginianos e capricornianos têm menores probabilidades de sucesso do que os casamentos, uniões ou associações comerciais. Estes dois tipos astrológicos sempre precisam de um interesse maior do que o simples afeto fraterno para conviver e procurar suportar-se mutuamente.

Os nativos de Capricórnio, quando inferiores, terão uma influência extremamente perniciosa na vida dos virginianos. Devem ser evitadas todas as relações com esses tipos, que poderão conduzir os nativos de Virgem a uma vida perigosa e imoral, que terá conseqüências funestas em sua fortuna, sua posição e sua própria saúde.

Os melhores aspectos para as amizades acontecerão quando os virginianos se unirem a capricornianos nascidos entre 10 e 20 de janeiro, decanato este que recebe a influência participante de Mercúrio, sendo seus nativos muito semelhantes aos nativos de Virgem.

Negócios — Saturno, o regente de Capricórnio, e Mercúrio se dão bem nos negócios. Saturno, que é calculista, analista e prático, sabe aproveitar bem as brilhantes e inquietas vibrações mercurianas e os virginianos devem associar-se aos capricornianos, pois suas qualidades serão bem aproveitadas e o lucro será grande para ambas as partes.

Os nativos de Capricórnio são profundamente honestos, laboriosos e competentes, o mesmo acontecendo com os virginianos. Ambos os tipos astrológicos são dinamizados pelo desejo de vencer e fazer fortuna, o que acontecerá sempre que elementos positivos se associarem.

Os melhores prognósticos em relação aos assuntos comerciais verificam-se quando os nativos de Virgem se associam a capricornianos nascidos entre 10 e 20 de janeiro ou entre 22 e 30 de dezembro; o primeiro decanato tem a influência de Mercúrio e o segundo está sob a proteção de Saturno, que também é excelente negociante.

VIRGEM–AQUÁRIO. Mercúrio e Urano, que é o senhor de Aquário, são planetas que se harmonizam muito bem, sendo Urano considerado como a oitava superior do inquieto Mercúrio. Embora Virgem seja um signo de terra e Aquário pertença ao elemento ar, ambos possuem uma natureza intelectual e científica, o que determina uma relativa afinidade.

A natureza cósmica destes dois setores zodiacais, não obstante os dois pontos de harmonização definidos acima, é que torna muito opostas as personalidades de seus nativos. O aquariano é rebelde, inconvencional, independente, excêntrico e revolucionário. Exige sua liberdade, e como não pretende dominar ninguém sempre sabe respeitar a liberdade alheia. Em moral é tão inconvencional como em todas as demais atitudes e seus atos são realizados às claras, sem subterfúgios nem disfarces. O virginiano que tem suas raízes presas à família, e que é ainda dominado pelo temor de enfrentar o mundo, de enfrentar a censura e o castigo, sente-se inquieto quando entra em contato com os aquarianos e, nem sempre, essa convivência é benéfica.

O nativo de Virgem é muito sociável, a despeito de suas crises de melancolia ou depressão. O aquariano, que também tem seus momentos de isolamento, embora seja muito fraterno e defenda a igualdade entre os homens, é muito cioso de sua tranqüilidade; sua fraternidade é mais teórica do que prática e ele freqüentemente foge da companhia humana, o que jamais acontece com os virginianos, que nunca fecham sua porta a alguém.

O aquariano não nega nenhum favor; o difícil é chegar até ele e pedir esse favor.

Amor — As relações amorosas entre aquarianos e virginianos só serão felizes quando ambos forem positivos, souberem desculpar os defeitos comuns e reconhecer os méritos e qualidades.

O aquariano, em amor, é sincero, afetivo e constante. Necessita, porém, de algo mais que a comunhão física para manter-se ligado a alguém. O virginiano, que ame seu cônjuge de Aquário, deverá procurar uma perfeita união material e mental; caso contrário acabará sozinho, pois ninguém obriga um aquariano a viver uma vida diferente daquela que ele deseja.

É necessário ter cautela com os aquarianos inferiores, principalmente os de condição humilde ou subalterna, pois eles trarão grande prejuízo social e moral. Em sua vida íntima, o virginiano sempre deverá evitar a intromissão de estranhos, que poderão causar perturbações e acabarão provocando o afastamento de seu cônjuge, quando este for de Aquário.

Amizade — As amizades entre virginianos e aquarianos oferecem aspectos mais favoráveis do que os encontrados nas uniões e casamentos. O nativo de Aquário gosta da companhia dos amigos, mas, às vezes, é acometido por uma irresistível necessidade de silêncio e solidão. O virginiano também às vezes se isola, mas suas crises são sempre depressivas e melancólicas, enquanto as do nativo de Aquário nada têm de mórbidas.

O nativo de Virgem gosta de viver rodeado de pessoas, mas o aquariano tem que ter uma motivação para sua amizade; quando ele e os virginianos basearem suas relações num ideal artístico, intelectual, místico ou científico, elas serão sinceras, agradáveis e duradouras.

A intimidade com os nativos do Aguadeiro, quando inferiores, poderão dar imenso prejuízo aos virginianos, especialmente quando estes se ligarem a aquarianos negativos, nascidos entre 21 e 29 de janeiro.

Negócios — Os virginianos, que tanto podem demonstrar brilhantes aptidões científicas ou artísticas, como intelectuais, também podem revelar-se excepcionais comerciantes. Os aquarianos, todavia, embora muito inteligentes, dificilmente demonstram grande habilidade comercial, pois costumam entusiasmar-se com o trabalho e esquecer os lucros.

As associações entre estes dois tipos astrológicos podem ser muito favoráveis, principalmente quando se relacionarem com livros, publicidade, jornalismo ou, ainda, com pesquisas científicas ou trabalhos feitos para rádio, televisão, cinema, teatro etc.

Os prognósticos melhores acontecem quando os virginianos se associam a aquarianos nascidos entre 30 de janeiro e 8 de fevereiro, período este que recebe a proteção de Mercúrio. Cuidado, porém, com os tipos negativos nascidos nesse período, que são cruéis, maliciosos e destrutivos.

VIRGEM–PEIXES. O signo de Peixes, que pertence ao elemento água e é regido pelo místico Netuno, é o décimo segundo setor zodiacal e com ele o Sol encerra sua ronda anual.

Virgem, como sexto signo, marca o meio do zodíaco, a porta para o mundo onde, ao ultrapassar seus umbrais, o indivíduo deixa de existir como eu e passa a viver para o *nós*; em Peixes encerra-se o ciclo, e ao alcançar essa misteriosa Casa cósmica a criatura olha para trás e enfrenta todo o zodíaco. Peixes é a Casa dos inimigos, das prisões, das punições e dos segredos do além; ali, então, o homem recebe os castigos pelo mal que fez, vê os inimigos que suas ações provocaram e se prepara para o julgamento que é feito também em

Peixes, cujo símbolo é duplo, indicando que tanto pode castigar como premiar.

Os piscianos tanto podem ser alegres, volúveis, vaidosos, amantes do luxo e da beleza como podem ser desprendidos, místicos, modestos e humildes. Magoam-se com facilidade, mas perdoam todas as ofensas; não gostam de lutar, agredir ou humilhar e são criaturas agradáveis, gentis e amáveis; os virginianos encontrarão neles esplêndidos amigos e colaboradores, sempre prontos para os momentos de alegria ou para as horas de necessidade.

O nativo de Peixes dificilmente nega um favor. É bom, generoso e afetivo e tanto está pronto para ir a uma festa como para visitar um doente num hospital. Quem precisar de seu auxílio terá apenas que pedi-lo.

Amor — Quando o virginiano se afeiçoar a alguém nascido em Peixes, e este alguém for uma criatura evoluída e positiva, poderá estar certo de ter escolhido a sua metade perfeita. Unindo-se a um elemento inferior, seu destino será bastante penoso, porque estará amarrado até o fim de sua vida a uma criatura que lhe trará bastante sofrimento.

Os matrimônios mais felizes acontecerão quando os virginianos se afeiçoarem a alguém nascido entre 1º e 10 de março; este decanato de Peixes recebe a influência participante da Lua, que anda sempre em bons termos com Virgem e seu regente Mercúrio.

Nos casamentos menos harmoniosos e nos quais serão freqüentes as brigas, a separação acontecerá quando os virginianos escolherem um pisciano nascido entre 11 e 20 de março; este período é regido por Marte que, além de proporcionar muita rebeldia, ainda é bastante hostil a Virgem e a Mercúrio.

Amizade — Nas amizades os prognósticos também são muito favoráveis, embora seja oportuno fazer um aviso: os melhores amigos, nascidos em Peixes, poderão transformar-se em inimigos perigosos, que agirão na sombra e que procurarão derrubar e solapar as finanças e o moral dos virginianos.

Os nativos de Virgem, quando se unirem fraternalmente aos piscianos, encontrarão grande felicidade e prazer nessas relações, que poderão levá-los aos estudos ocultos ou às pesquisas espiritualistas, de elevado nível. Os virginianos poderão obter muito conforto moral, muita instrução e muita iluminação através de seus amigos, quando estes nascerem no signo dos Peixes.

É prudente, como já dissemos, evitar os elementos negativos, pois Peixes encerra o mistério da aniquilação do eu através do vício e da perversão; da mesma forma que o signo de Escorpião, Peixes também domina sobre a pior das mortes: a espiritual.

Negócios — É muito difícil encontrar um pisciano que seja bom comerciante. Aqueles que têm mais habilidade para comerciar geralmente nascem entre 1º e 10 de março; este período tem a influência participante da Lua que sabe dar aos seus protegidos bastante inclinação para os negócios.

Ao tratar de qualquer atividade comercial com um nativo de Peixes, os virginianos devem verificar muito bem todos os papéis e documentos; a colocação de Peixes no zodíaco, em relação ao signo de Virgem, pode prometer muita sorte com as associações, mas também pode provocar muitos problemas e aborrecimentos.

Todos os desentendimentos entre os sócios devem ser resolvidos pacificamente, pois as questões judiciais não trarão muita sorte para os virginianos. Os piscianos negativos também devem ser evitados porque os negócios feitos com eles trarão prejuízos consideráveis.

MERCÚRIO, O REGENTE DE VIRGEM

Mercúrio, o pequenino planeta que vive tão próximo ao Sol, cuja evolução é tão rápida que seu ano solar tem 88 dias apenas, indica bem a inquieta personalidade dos virginianos. Ele rege dois signos zodiacais: Gêmeos e Virgem. Em Gêmeos sua influência é extraordinariamente inquieta e brilhante e os geminianos são criaturas inteligentes, curiosas, atraentes e instáveis. Em Virgem, ao sofrer a irradiação lenta e pesada do elemento terra, sua vibração perde em brilho, mas ganha em profundidade e valor.

Sob o domínio de Mercúrio está tudo o que se relaciona com o movimento, a vibração e o som; também estão sob sua influência todos os meios que o homem tem de se comunicar com seus semelhantes ou de mover-se para os mais diversos lugares; assim, os transportes terrestres e marítimos, excetuando-se os aéreos, o telégrafo e as comunicações estão sob sua regência. A ele pertencem, igualmente, todas as coisas relacionadas com o intelecto, a palavra escrita e falada e seus meios de manifestação; desde a lógica, a análise, a crítica, a oratória ou a poesia até o computador, a impressora etc. Os virginianos deviam existir em grande número na idade paleolítica, quando surgiu a escrita pictográfica, e entre os sumérios e acadianos, que parecem ter sido os inventores da escrita cuneiforme que abriu definitivamente o caminho para a escrita literal de hoje. Mercúrio deve ter tido muito trabalho no antigo Egito, onde havia três formas diferentes de escrita: a hierogramática ou hierática, reservada para uso exclusivo dos templos, a hieroglífica, utilizada pelos faraós e pela nobreza, e a demótica, que era de uso popular. Também demonstrando a forte influência mercuriana, os egípcios ainda tinham várias qualidades de papel para escrever, bastando citar o hierático, usado pelos sacerdotes, e o emporético, reservado aos comerciantes.

Sua correspondência física é com a língua, as cordas vocais, as mãos, os músculos e o sistema nervoso. Pode afetar morbidamente estas partes, produzindo, principalmente, a gagueira e os transtornos e tiques nervosos, como pode dinamizá-las, tornando-as perfeitas e sadias. Mercúrio também exerce influência sobre a memória e os virginianos têm rara capacidade para guardar sons, cores, formas, lugares, imagens, datas e nomes. Excitando a energia mental, este planeta tanto pode produzir os cientistas ou literatos geniais, os advogados, médicos ou professores brilhantes, os poliglotas, antropólogos, arqueólogos ou sociólogos eminentes, como pode também determinar os mais inteligentes exemplos de malandragem, desonestidade e malícia. Como os números estão sob a tutela de Saturno e Mercúrio, este dá aos virginianos grande habilidade para fazer toda e qualquer espécie de cálculo, desde a mais simples operação aritmética até a mais complexa fórmula matemática. Em oposição, os virginianos que recebem os raios negativos de Mercúrio demonstrarão muita dificuldade para aprender ou manejar os números.

Os virginianos nascidos entre 23 de agosto e 1º de setembro recebem a influência pura de Mercúrio. Isto lhes dá uma inteligência muito desenvolvida, mas uma sensibilidade nervosa muito grande e certa instabilidade íntima, sempre sofrida por todo aquele que recebe as vibrações mercurianas. Sua capacidade de observação é muito desenvolvida e todos os seus sentidos, tato, olfato, visão, audição e paladar, são muito desenvolvidos.

Os que nascem entre 2 e 11 de setembro têm os raios de Mercúrio mesclados às lentas e poderosas vibrações saturninas. A inteligência proporcionada por Saturno difere bastante daquela que é dada por Mercúrio; não impressiona pelo brilho, porém pela profundidade, pela lógica, pela objetividade. Todos os que recebem a influência deste severo planeta, se o desejarem, poderão dedicar-se à matemática, à filosofia, à astronomia e a todas as atividades científicas e intelectuais. Os virginianos nascidos entre 12 e 22 de setembro já têm as irradiações mercurianas científicas e intelectuais. Aos virginianos nascidos nesses dez últimos dias de Virgem, as induções de Mercúrio tornam-se mais sensíveis devido à presença de Vênus, e os nativos deste período, quando se dedicam a alguma atividade artística ou intelectual, podem criar obras excepcionais.

Em todos os nativos de Virgem, todavia, o domínio de Mercúrio é mais forte do que o de Saturno e Vênus, e os virginianos podem esperar, do seu signo e do seu planeta regente, todas as qualificações que podem torná-los aptos a vencer através da inteligência e do conhecimento. Além do grande senso prático que logo os faz descobrir uma utilidade para cada coisa, também podem penetrar nas atividades próprias dos dois outros signos de terra, Capricórnio e Touro, certamente com pleno êxito.

O elemento terra limita muito a intensa personalidade proporcionada por Mercúrio; assim, os virginianos nunca são criaturas completamente realizadas ou felizes. Dentro delas sempre existe a necessidade de alguma coisa mais; quando se dedicam às atividades artísticas, intelectuais ou científicas, onde a mente se liberta, elas conseguem equilibrar-se interiormente; quando, porém, sua vida é comum, caseira, rotineira, a instabilidade é muito pronunciada devido a que Mercúrio não tem oportunidade de exercer suas reais funções e então dinamiza outros centros que nem sempre trazem resultados benéficos, pois induzem à tagarelice, ao mexerico, à intriga etc.

Cosmicamente, Mercúrio é o responsável pela libertação do homem, arrancando-o do torpor animal e ensinando-o a raciocinar e a inventar todas as coisas necessárias à sua evolução mental e material. Mitologicamente, ele é o mensageiro dos deuses, cético, brincalhão, possuindo o espírito irreverente de quem conhece os segredos de todas as criaturas, mortais e imortais. Imprimindo seu selo em todos os virginianos, dá-lhes o dom de observação, de análise, de crítica e de compreensão. Sua órbita ao redor do Sol é extraordinariamente excêntrica e isto parece refletir-se no comportamento interior dos virginianos que, às vezes, são alegres, sociáveis, despreocupados e, outras vezes, mergulham em crises de depressão e melancolia. Ao influenciar os nativos de Virgem, Mercúrio lhes confere muitas das transcendentes qualidades encerradas no signo de Capricórnio e também lhes confere a inteligência vibrante que os capacitará a realizar o mesmo que os brilhantes nativos de Gêmeos, o outro signo do qual ele é regente.

Simbolismo das cores

As cores atribuídas a Mercúrio e, portanto, consideradas como favoráveis aos virginianos são o cinzento e os tons mesclados. Também nas tonalidades próprias deste planeta encontramos a típica dualidade mercurial, ora sombria, representada pelo cinzento, ora jovial, entusiasta e alegre, simbolizada pelas combinações policrômicas; esta dualidade está sempre presente nos geminianos e virginianos, que passam facilmente da alegria à tristeza.

O cinza é formado pela combinação de branco e preto, os dois extremos da escala cromática, a negativa e a afirmativa absolutas. O primeiro simboliza a Verdade e o segundo o Nada. Enquanto o branco é a Sabedoria Divina, o preto é a Paixão Mortal, podendo um ser considerado como a manifestação de Deus e o outro a representação do seu oposto, o Diabo, ou seja, o Bem e o Mal, a Luz e as Trevas.

O uso da cor cinzenta pode aumentar a instabilidade psíquica e nervosa dos virginianos que, aliás, mesmo sem usá-la, sempre oscilam entre os extremos e se dividem entre o céu e o inferno. Esta é uma cor que induz à submissão e à passividade. Muitas ordens monásticas, como testemunho de humildade e para declarar sua ignorância e afirmar sua submissão aos desejos de Deus usam o cinza em seus hábitos. Quem não escolhe a submissão, quem não tem inclinações religiosas, quem deseja apenas prestar uma homenagem ao Criador, lutando, vencendo, realizando-se como pessoa útil a si mesmo e aos seus semelhantes, deve evitar o cinza. Os virginianos, principalmente, sempre devem quebrar com algum detalhe de cor viva a monotonia de um traje cinzento, pois este tom pode dividir ainda mais sua personalidade, aumentar sua oscilação interior, tirando muito de suas qualidades práticas; pode, ainda, acentuar a instabilidade nervosa, conduzindo o nativo para a introversão e a neurastenia.

A policromia, ou a mistura de cores, portanto, é sempre favorável para os nativos de Virgem. As mesclas mais benéficas são aquelas que reúnem as tonalidades pertencentes a Vênus, Sol e Lua, que têm grande afinidade com Mercúrio e com os virginianos e geminianos.

O Sol é representado pelo amarelo. Esta cor estabelece o equilíbrio vital e dinamiza o intelecto, devendo o virginiano usá-la com freqüência. Misticamente, o amarelo simboliza a Revelação da divindade. É uma tonalidade que facilita o trabalho mental, aprofunda o pensamento e favorece a intuição. Muitos religiosos orientais, que procuram a perfeição através da meditação, usam hábitos amarelos.

O azul esverdeado, o verde e o rosa são cores de Vênus; o decanato de Virgem que vai de 12 a 22 de setembro tem a influência participante desse planeta e suas cores serão sempre propícias para os virginianos nascidos nesse período. As cores venusianas aumentam a sensibilidade e elevam os sentimentos. As cores lunares são o verde bem pálido, o azul-celeste, o branco e o prateado. Todas as tonalidades de Vênus e da Lua são sedativas e podem trazer resultados muito favoráveis quando usadas pelos virginianos; elas serão menos benéficas para os que nascerem entre 2 e 11 de setembro, pois estes dez dias recebem a regência participante de Saturno, que é hostil aos raios lunares e venusianos.

As cores propícias aos virginianos podem ser usadas isoladamente ou combinadas. Os detalhes em azul ou em laranja sempre são úteis, pois proporcionam confiança e energia. Os tons vermelhos devem ser usados com muito cuidado, pois pertencem a Marte, que é muito hostil a Mercúrio. O vermelho é muito excitante, prejudicando o sensível sistema nervoso dos virginianos e só deve ser usado em abundância no caso de fraqueza, anemia, esgotamento físico ou falta de vitalidade. O preto, que favorece os que nascem entre 2 e 11 de setembro, deve ser usado com cuidado, pois conduz à depressão e à tristeza.

A magia das pedras e dos metais

O jaspe, o jacinto, a esmeralda e o berilo são pedras preciosas que podem ser usadas, com efeitos muito benéficos, por todos os que nascem sob as estrelas de Virgem e sob o domínio planetário de Mercúrio.

A esmeralda é a melhor pedra para os virginianos e, segundo a tradição, ela sempre proporciona confiança, calma e paz interior a quem a usa. O jacinto, uma pedra preciosa que se apresenta em várias tonalidades, também é muito propícia para os que nascem em Virgem. Os virginianos podem, ainda, usar o berilo como talismã; essa pedra possui uma vibração muito benéfica, especialmente a variedade denominada coríndon azul, também chamada safira oriental. As pérolas favorecem especialmente os que nascem entre 12 e 22 de setembro, pois elas pertencem a Vênus, que influencia este decanato. A calcedônia, que é uma variedade de ágata branco-azulada, pode ser usada com êxito pelos virginianos nascidos entre 2 e 11 de setembro; segundo a tradição, esta pedra traz fortuna e felicidade a quem a usa.

Mercúrio é o metal propício aos virginianos. Naturalmente não pode ser utilizado como talismã e os nativos de Virgem devem escolher a prata, o ouro e o cobre, metais que pertencem à Lua, ao Sol e a Vênus, respectivamente. Com esses metais podem ser feitos adornos para uso pessoal ou para decoração de ambiente doméstico ou de trabalho, pois suas vibrações são muito benéficas para todos os que nascem sob as estrelas do signo de Virgem.

A mística das plantas e dos perfumes

As plantas do signo de Virgem e de seu regente, Mercúrio, são a aveleira, o mirto, a salsa, a angélica silvestre, a azálea, o sândalo, o junquilho, a manjerona, a alfazema e a verbena. São todas muito propícias, como, aliás, são sempre propícias as criaturas vegetais, com exceção das venenosas, que estão sob a influência conjugada de Marte e Saturno; estas plantas não só têm efeitos letais para quem ingere seu suco ou mastiga suas sementes e flores, como também sobrecarregam o ambiente com vibrações pesadas e maléficas.

Para os virginianos nascidos entre 12 e 22 de setembro, que recebem a influência de Vênus, as rosas, os cravos, as violetas, a lavanda e a malva são plantas muito benéficas, que devem não só ser usadas para ornamentação de ambiente como, também, utilizadas em forma de essência, para perfumar as roupas. A centáurea azul, a genciana e a verbena são especialmente indicadas para os que tiverem sua data natal entre 2 e 11 de setembro.

Os perfumes compostos, feitos pela química moderna, podem ser utilizados por qualquer tipo astrológico, porque raramente são feitos com essências naturais. Aqueles, porém, que são produzidos com a pura essência das flores devem sempre ser utilizados por todos os que desejam dinamizar as vibrações do seu signo e do seu planeta.

Sempre é bom aromatizar o ambiente, ainda que sem finalidade mística ou religiosa; para os virginianos, será muito útil se queimarem flores secas, pertencentes a Virgem, Mercúrio ou Vênus, juntamente com um pouco de incenso ou mirra, que são resinas que se harmonizam cosmicamente com as flores de Virgem e de Mercúrio.

MERCÚRIO E OS SETE DIAS DA SEMANA

Segunda-Feira

A Lua, regente de Câncer, é que domina sobre a segunda-feira. Câncer é um signo de água e este dia, portanto, pertence ao móvel e psíquico elemento que é responsável pelas fantasias, sonhos e crendices e que favorece as aparições e as comunicações com os nossos ancestrais. Sendo Câncer um signo de natureza passiva e a Lua um elemento também de energia passiva, ou feminina, a segunda-feira é um dia onde todos sentem sua vitalidade diminuída; como diz o povo, é "dia de preguiça".

Acontece que este dia domina sobre coisas importantes, que nada têm de preguiçosas, relacionando-se com a alimentação e a diversão pública. Circos, parques de diversões, teatros, cinemas, feiras, mercados, portos de mar, alfândegas, entrepostos de pesca etc., são locais que estão sob a vibração lunar. Como Mercúrio se harmoniza bem com a Lua, os virginianos poderão tratar nas segundas-feiras não só dos assuntos relacionados com seu planeta e signo como, também, de todas essas atividades pertencentes à Lua.

Terça-Feira

A terça-feira está sob a vibração do agressivo e dinâmico planeta Marte. Como o turbulento deus da Guerra não vive em bons termos com Mercúrio, os virginianos devem evitar, neste dia, as atividades próprias do seu signo e planeta, e devem tratar somente, e sempre com cautela, dos assuntos regidos por Marte. Neste dia as vibrações são sempre violentas e é necessário tomar muito cuidado com todas as palavras e ações.

A terça-feira é favorável para consultar médicos, cirurgiões, dentistas, oculistas etc., pois Marte, além do seu grande poder fortificante, também age beneficamente sobre todas as coisas ligadas à saúde e ao corpo físico. É, também, dia propício para toda sorte de operações cirúrgicas, assim como para o início de qualquer tratamento de saúde.

Marte domina sobre a indústria, o ferro, o fogo, a mecânica, os ruídos, a violência, a dor, o sangue e a morte. Este dia é bom para tratar de assuntos ligados a hospitais, prisões, fábricas, matadouros, campos de esporte, ferrovias, indústrias e, também, quartéis e tribunais, pois Marte domina sobre os militares, homens de governo, juízes e grandes chefes de empresa.

Quarta-Feira

A quarta-feira está sob a regência de Mercúrio e de sua oitava superior, Urano. Para os virginianos é o dia mais benéfico da semana, propício para o início de qualquer atividade ou para a realização de negócios importantes. Sendo um dia de intensa vibração, reforça as qualidades positivas mas também dinamiza os aspectos negativos, devendo haver especial cuidado em relação a papéis, documentos, dinheiro etc.

Mercúrio rege todas as coisas ligadas ao movimento, sendo este dia benéfico para programar ou para começar viagens terrestres, marítimas e também aéreas, pois Urano, o planeta que liberta o homem da Terra, também rege a quarta-feira. Todos os assuntos comerciais ou intelectuais, desde a importação e exportação até as atividades dos camelôs, desde as obras filosóficas até a composição das revistas em quadrinhos, também têm a quarta-feira como dia propício.

Mercúrio governa todos os documentos, cartas e papéis importantes, favorecendo a assinatura de contratos e obrigações. Também rege tudo o que se relaciona com livros, publicações e publicidade. Urano, por sua vez, domina todas as atividades onde intervêm o ar, a eletricidade, o movimento mecânico e as ondas de rádio.

Urano é um planeta eletromagnético e os protegidos de Mercúrio são muito sensíveis às suas vibrações, podendo encaminhar-se, com êxito, nas profissões e atividades por ele regidas. Este planeta é considerado a oitava superior de Mercúrio, isto é, contém suas mesmas qualidades elevadas ao mais alto grau; a quarta-feira, portanto, favorece os virginianos mas oferece também alguns perigos, em virtude dos raios negativos de Urano, que são muito mais violentos do que as vibrações mercurianas. É preciso cautela no escrever e no falar e tudo deve ser feito para evitar os acidentes, especialmente acidentes provocados por máquinas, que podem ter graves conseqüências. As crises depressivas devem ser combatidas porque, nas quartas-feiras, elas podem conduzir à neurastenia ou à autodestruição.

Os aspectos positivos deste dia são extremamente benéficos e os virginianos devem fazer sempre, nas quartas-feiras, as suas tarefas mais importantes ou nelas devem iniciar todas as coisas que podem transformar favoravelmente sua vida.

Quinta-Feira

Júpiter, o benevolente deus dos deuses, é quem rege as quintas-feiras, favorecendo tudo o que diz respeito às relações humanas, desde que não sejam transações comerciais.

Ele protege os noivados, namoros, festas, casamentos, reuniões sociais, comícios políticos, conferências, concertos etc. Também sob sua regência estão todas as coisas relacionadas com o Poder e o Direito. Pode-se, pois, nas quintas-feiras, tratar de assuntos ligados a juízes e tribunais ou que tenham que depender do governo, do clero ou das classes armadas. Também sob as irradiações de Júpiter estão os professores, os filósofos, os sociólogos, os cientistas, os economistas, os políticos e os grandes chefes de empresa.

Júpiter se harmoniza bem com Vênus e a quinta-feira é muito benéfica para os virginianos nascidos no terceiro decanato de Virgem, entre 12 e 22 de setembro. Os que porventura tiverem sua data natal entre 2 e 11 de setembro não terão os mesmos prognósticos propícios para a quinta-feira, pois Júpiter é bastante hostil a Saturno, que participa na regência desses dez dias. O deus dos deuses também não encara Mercúrio com muita simpatia e os nativos de Virgem devem agir com cautela neste dia, especialmente se tiverem que lidar com dinheiro ou documentos.

Sexta-Feira

A regência das sextas-feiras está dividida entre Vênus e Netuno. Embora Vênus tenha grande afinidade com Mercúrio, Netuno é bastante hostil a ele, devendo os virginianos agir com prudência, principalmente nos assuntos governados por seu adversário.

Vênus rege a beleza e a conservação do corpo. A sexta-feira é favorável para a compra de roupas e objetos de adorno, para cuidar dos cabelos ou tratar de qualquer detalhe relacionado com a beleza e a elegância, masculina ou feminina. É dia propício para festas, reuniões sociais ou encontros com amigos. Protege, também, os namoros, noivados, as artes e atividades artísticas. Os presentes dados ou recebidos neste dia são motivo de muita alegria, sejam eles flores, bombons, objetos de adorno ou de decoração, ou livros, roupas etc.

Nas sextas-feiras os virginianos poderão tratar das atividades venusianas com bastante êxito, principalmente os nascidos entre 12 e 22 de setembro. Todos os nativos de Virgem devem precaver-se contra as vibrações netunianas, que não favorecem os protegidos de Mercúrio. Os que tiverem sua data natal entre 2 e 11 de setembro não terão um dia muito favorável nas sextas-feiras, principalmente nos assuntos governados por Vênus.

Netuno é o regente do signo de Peixes que, no horóscopo fixo, ocupa o décimo segundo setor, a Casa dos inimigos ocultos, das prisões, das traições, dos exílios e dos mistérios astrais. Todos os virginianos devem evitar as más palavras e as más ações, porque elas poderão refletir-se intensamente em seu bom nome e em seu prestígio social. Para captar as boas vibrações netunianas é bom agir com generosidade e bondade, pois Netuno rege a pobreza, a miséria e a doença, regendo, portanto, a caridade, a filantropia e as obras sociais.

Sábado

O frio e constritor Saturno, filho do Céu e da Terra, que não se harmoniza com nenhum planeta, abre exceção para Mercúrio sendo, portanto, o sábado um dia benéfico para todos os virginianos, excetuando-se os que têm sua data natal entre 12 e 22 de setembro; este período tem a regência participante de Vênus, que é hostil a Saturno, o senhor do sábado.

A vibração saturnina beneficia os lugares sombrios ou fechados, tais como cemitérios, minas, poços, escavações e laboratórios, ou os locais de punição, sofrimento, recolhimento ou confinamento, como cárceres, hospitais, claustros, conventos, hospitais de isolamento etc. A lepra, as feridas e chagas, o eczema, a sarna e todos os males da pele lhe pertencem e o sábado é bom dia para iniciar ou providenciar tratamento.

Este planeta também domina sobre a arquitetura severa e a construção de edifícios para fins religiosos, punitivos ou de tratamento, como igrejas, conventos, claustros, tribunais, orfanatos, penitenciárias, asilos, casas de saúde etc. A ele também estão ligados os estudos profundos, como a matemática, a astronomia, a filosofia e também as ciências herméticas. Como filho do Céu e da Terra, ele também é o regente dos bens materiais ligados à terra: casas, terrenos e propriedades, na cidade ou no campo, sendo o sábado favorável para a compra e venda dos mesmos.

Domingo

O Sol, que é o senhor do domingo, é o planeta da luz, do riso, da fortuna, da beleza e do prazer e está sob sua influência tudo aquilo que é original, belo, festivo, extravagante, confortável e opulento.

No domingo se pode pedir favores a pessoas altamente colocadas, solicitar empréstimos ou tratar de qualquer problema financeiro. Pode-se, com êxito, pedir proteção ou emprego a altos elementos da política, do clero ou das finanças. É um dia que inclina à bondade, à generosidade e à fraternidade, sendo, portanto, benéfico para visitas, festas, reuniões sociais, conferências, noivados, namoros e casamentos; favorece, ainda, a arte e todas as atividades a ela ligadas, bem como as jóias e pedras preciosas e as antiguidades de alto valor, dominando sobre a compra, a venda e a realização de exposições, amostras etc.

No domingo, os virginianos podem tratar tanto das atividades próprias de Mercúrio como de todos os assuntos ligados ao Sol. Os aspectos são menos benéficos para os que nascem no segundo decanato de Virgem, entre 2 e 11 de setembro, período que é governado por Saturno, cujos raios são hostis ao Sol.

MITOLOGIA

Virgem

A figura mitológica associada ao signo de Virgem é a de Astréia, filha de Júpiter e de Têmis, a Justiça. A história de Júpiter está cheia de fascinantes lendas amorosas. Ele se apaixonou por Taígeta, filha de Atlas e Pleione, que está imortalizada, com suas irmãs, na constelação chamada Plêiades; amou a linda Alcmena e dessa união nasceu Hércules; foi também o pai das Náiades, ninfas dos rios, regatos e fontes. De sua paixão por Mnemósine ou Memória, nasceram as Musas, deusas encarregadas de alegrar os banquetes do Olimpo. Elas eram Clio, a glória, Euterpe, a música, Talia, a comédia, Melpómene, a tragédia, Terpsícore, a dança, Érato, a poesia, Polímnia, a retórica, Urânia, a astronomia e Calíope, a poesia heróica e a eloqüência.

Certa vez ele apaixonou-se por Latona, formosa filha do Titã Coeus. Ao saber que Latona estava grávida, Juno, que sofreu muito com as infidelidades de seu divino esposo, ficou enfurecida. Fez a Terra prometer que não daria abrigo a Latona e mandou a serpente Píton persegui-la e matá-la. Netuno, porém, compadecido, bateu no mar com seu tridente e fez surgir dos verdes abismos a ilha Delos; ali Latona se refugiou e, sob uma oliveira, presenteou Júpiter com um casal de belos filhos, Apolo e Diana, o Sol e a Lua.

O deus dos deuses cometeu nova infidelidade quando se apaixonou por Leda, formosa princesa que era esposa de Tíndaro, rei de Esparta. Para poder se aproximar da jovem e seduzi-la, Júpiter se transformou num majestoso cisne branco e desse amor resultaram dois ovos! De um deles nasceram Pólux e Helena, a mulher cuja beleza tantas desgraças causou; estes dois gêmeos foram considerados filhos de Júpiter, portanto imortais. Do outro ovo nasceram Castor e Clitemnestra, ambos tidos como filhos do rei Tíndaro, portanto mortais. Pólux e Castor eram unidos por tão extrema amizade que quando Castor morreu, num combate, Júpiter, a pedido do desolado Pólux, colocou ambos no céu, eternamente juntos, na constelação de Gêmeos.

O casamento com sua esposa legítima, Juno, não foi muito harmonioso e parece ter obedecido a razões de família. Urano, o céu, e Vesta ou Titéia, a terra, tiveram vários filhos, entre eles Saturno e Réia; estes se casaram e Réia teve um casal de filhos, Júpiter e Juno. Ao alcançar a idade adulta, Júpiter seguiu o costume da família e casou-se com a irmã. Teve com ela alguns filhos, entre eles Marte, o deus da guerra, e Vulcano, o deus ferreiro, que forjava seus raios no interior do vulcão do monte Etna.

Júpiter, todavia, sempre pareceu estimar mais seus filhos ilegítimos do que os legítimos. Seu predileto era Mercúrio, fruto de seu romance com Maia, uma das Plêiades, e Astréia, que nasceu de seu amor por Têmis. A ele dedicou grande afeto. Têmis era irmã de seu pai, Saturno; era uma deusa de extrema beleza, que jurara conservar virgindade eterna, mas Júpiter obrigou-a a quebrar a jura. Têmis teve três filhas, as Horas, que receberam o nome de Eunomia, Irene e Dicéia, ou Astréia e que eram a Lei, a Paz e a Eqüidade, ou a Justiça. Deu-lhe, também, mais três filhas, não belas como as Horas, mas tristes e feias: eram elas as Parcas, chamadas Cloto, Láquesis e Átropos, e dirigiam a harmonia do mundo, o movimento dos corpos celestes e o destino dos homens, que era sempre escrito em placas de ferro ou de bronze de onde nada podia ser apagado ou modificado.

Astréia tinha tal beleza e tal pureza que impressionava os mortais e os imortais; habitou a Terra durante muito tempo, na chamada Idade de Ouro, onde não se cometiam crimes nem maldades. Depois, o pecado foi tomando conta do coração dos homens. Astréia, desolada, sentiu-se morrer de dor e Júpiter imortalizou-a, colocando-a no céu, na constelação de Virgem.

Segundo outras lendas, Icário de Atenas, por ordem do deus Baco, deu de beber a alguns pastores que se embriagaram e a mataram. Sua filha Erígone procurou-a desesperada e, ao encontrar o lugar onde seu corpo estava enterrado, debruçou-se sobre a tumba, em companhia de sua cadelinha Moera, e jurou não mais se levantar dali. Júpiter, emocionado com tanto amor filial, imortalizou Erígone na constelação de Virgem e a cadelinha Moera na pequena constelação chamada Canícula.

Mercúrio

A lenda sobre a origem de Mercúrio é muito interessante, e seu nascimento se deve a mais uma entre as infinitas aventuras amorosas praticadas por Júpiter, seu ardente pai.

Júpiter, certa vez, apaixonou-se por uma ninfa, Clímene, e desse amor nasceu Atlas, uma criatura de físico perfeito e força colossal. Por ofender Júpiter, Atlas foi condenado a carregar o mundo nas costas, mas, antes disso, ou talvez depois, o poderoso atleta amou Pleione e dela teve sete filhas que foram imortalizadas e colocadas na constelação de Touro onde formam o agrupamento estelar chamado Plêiades. Uma das plêiades, Maia, foi amada por Júpiter, que era seu avô, e lhe deu um filho, Mercúrio, ou Hermes, que era como o chamavam os gregos.

Deus da eloqüência, do comércio, da oratória, dos viajantes, negociantes e até dos ladrões, Mercúrio exercia múltipas atividades na corte olímpica. Participava de todas as questões, intrigas, guerrilhas ou acordos, na posição de mensageiro, mediador ou diplomata. Era figura importante em quase todos os casos amorosos. Um dos mais interessantes é o que conta a história do amor de Júpiter por Io, a filha do estranho rio Ínaco. Para livrar Io do ciúme de Juno, Júpiter transformou-a numa vaca branca. Suspeitando de algo e impressionada com a beleza do animal, Juno pediu ao esposo que lhe desse a vaca. Júpiter não ousou negar o pedido e a vaca Io foi levada aos jardins de Juno, onde ficou sob a guarda de Argos, um pastor que tinha cem olhos bem estranhos, pois enquanto cinqüenta dormiam os outros cinqüenta ficavam acordados, vigiando. Mercúrio adormeceu todos os olhos de Argos, com sua flauta mágica, cortou a cabeça do pobre pastor e libertou Io. Juno, penalizada, transformou Argos num pavão, cuja cauda cromática mostra os cem belos olhos.

Desde pequenino Mercúrio mostrou seu gênio brincalhão e suas tendências desonestas. Foi ele quem roubou o tridente de Netuno, a espada de Marte e o famoso cinto de Vênus. Roubou, também, os bois de Apolo e depois trocou-os pela maravilhosa lira do deus-sol. Foi, também, participante de um curioso episódio, o que conta a história das núpcias de Tétis e Peleu onde, em plena festa, a deusa Discórdia atirou sobre a mesa uma maçã de ouro com o dístico: *à mais bela*. Juno, Minerva e Vênus disputaram a posse da maçã e um concurso foi organizado. Páris foi o juiz, e ao conceder o pomo a Vênus, dando-lhe a vitória, arranjou duas terríveis inimigas em Juno e Minerva, que por isso causaram a ruína dos troianos. As três deusas viviam brigando e para acompanhá-las ao monte Ida, onde foi realizado o concurso, Júpiter escolheu o habilíssimo Mercúrio, que conseguiu levá-las até lá sem maiores problemas.

Mercúrio, numa de suas histórias de amor, apaixonou-se por Penélope, mulher de Ulisses. Para seduzi-la, transformou-se em bode e dessa paixão nasceu Pã, o ardoroso deus dos caçadores e incorrigível sedutor de ninfas. Amou também Prosérpina, que depois foi esposa de Plutão, deus dos infernos, e a náiade Lara, também chamada Muta ou Tácita, porque tivera sua língua cortada por Júpiter, como castigo. Condoído e apaixonado, Mercúrio protegeu-a e ela lhe deu dois filhos, os chamados deuses Lares, que estavam em todas as casas romanas e traziam sorte e prosperidade.

Gregos e romanos cultuaram Hermes-Mercúrio com grande devoção. Tinha grandes templos em Creta e maiores ainda em Cilene, pois, segundo a lenda, seu nascimento ocorrera num monte próximo a essa cidade. Tinha, ainda, um oráculo em Acaia. Em Roma, eram-lhe dedicadas grandes festividades no primeiro dia de maio, onde os negociantes lhe prestavam homenagens pomposas.

ASTRONOMIA

A constelação de Virgem

A constelação de Virgem não é fácil de ser localizada por quem não tenha certa intimidade com as estrelas do céu. Seu desenho é quase todo formado por astros de pequeno brilho, difíceis de identificar, além de ela ser extremamente longa, ocupando cerca de quarenta e cinco graus da eclíptica, mais do que qualquer outra constelação zodiacal.

A belíssima Spica é a principal estrela de Virgem, destacando-se em seguida a beta Zavijava, a gama Porrima e a epsilon Vendemiatrix. Misteriosamente, a parte oeste da constelação de Virgem é muito movimentada, sendo completamente recamada de nébulas em espiral.

Existem no céu cinco estrelas muito belas; os astrônomos convencionaram chamar esse conjunto estelar de "diamante da Virgem", pois ele tem como astro principal a Alfa Virginis Spica. O diamante teria cinco faces e seria facilmente identificado se alguém traçasse uma linha imaginária ligando Spica Arcturo a alfa de

Bootes, Cor Coroli, alfa de Canes Venatici, Denébola, a beta da constelação de Leão e a gama Virginis Porrima. No centro exato desse Diamante da Virgem existe uma pequena e linda constelação, formada por inúmeros astros bem agrupados, que tem o romântico nome de Coma Berenice, a Cabeleira de Berenice.

O planeta Mercúrio

Mercúrio tem um diâmetro de apenas 3 000 milhas e é o planeta mais próximo do Sol, estando separado dele por uma distância de 36 000 000 de milhas. Sua densidade é seis vezes maior do que a da água, muito mais elevada, portanto, do que a de qualquer outro planeta. Como sua massa é relativamente pequena, essa densidade não pode ser devida à compressão gravitacional, mas sim, à elevadíssima porcentagem de ferro que ele possui, muito maior do que a que existe no planeta Terra.

Mercúrio gira muito depressa ao redor do seu eixo, e como sua revolução orbital tem igual rapidez, isso provoca um curioso fenômeno: 37% de sua superfície está eternamente exposta ao Sol e sua temperatura é de 340^0. Outros 37% estão eternamente na sombra e sua temperatura é de 253^0 abaixo de zero. Os restantes 26% estão alternadamente mergulhados nas trevas e expostos ao Sol, implicando colossais alterações de temperatura, e tornando muito incômoda a vida do astronauta que conseguisse chegar até lá, o que só seria possível ao se construir trajes e aparelhos capazes de suportar as máximas temperaturas mercurianas que são mais elevadas do que as que necessitamos para fundir o chumbo.

Sua superfície pode ser comparada à da Lua. Manchas iguais às lunares foram fotografadas e batizadas como *maria* (mares), embora sejam, provavelmente, apenas campos de lava. Por muito tempo os astrônomos procuraram indícios de atmosfera em Mercúrio, até que, finalmente, Dollfus, mediante o exame das medidas de polarização, constatou que existe uma insignificante atmosfera, ou invólucro de ar, ao redor do planeta, que é de apenas 0,003, em relação à da Terra. A órbita extraordinariamente excêntrica de Mercúrio também tem dado muita dor de cabeça aos astrônomos, que chegaram a supor que existe um satélite gravitando ao redor desse planeta que é tão veloz, e cujo ano tem apenas 88 dias. Desde o século XVI muitas pesquisas têm sido feitas para verificar se Mercúrio tem realmente alguma lua tão pequena que seja invisível. Leverrier chegou a batizar o presumível satélite com o nome de Vulcano. Em 1859, Lescarbault viu passar uma mancha negra sobre o Sol, talvez o desconhecido satélite de Mercúrio. Durante o eclipse solar, total, de julho de 1878, Watson julgou ver não uma lua, mas dois planetas! Embora atualmente a teoria da relatividade de Einstein tenha resolvido, aparentemente, o problema do excêntrico movimento de Mercúrio, ainda não está totalmente abandonada a idéia de um satélite mercuriano ou de um anel de asteróides evolucionando ao redor desse planeta.

Mercúrio é o menor dos planetas superiores. São chamados superiores os corpos celestes que estão colocados entre o Sol e a misteriosa terra de ninguém que é a Zona dos Asteróides; eles são Mercúrio, Vênus, Terra e Marte e os asteróides os separam dos outros, de movimento mais lento, Júpiter, Saturno, Urano, Netuno e Plutão, que, aliás, é infinitamente pequeno.

Há uma teoria segundo a qual os asteróides são fragmentos de um colossal planeta que existiu entre Marte e Júpiter e que depois se desintegrou. Os meteoritos que caem na Terra e que são fragmentos dos corpos celestes existentes na zona dos asteróides mostram que o tempo transcorrido entre a solidificação desse enorme planeta e o estado atual dos seus fragmentos corresponde ao vertiginoso número de 4 500 000 000 de anos! Alguns desses meteoritos que caem sobre nós mostram que os asteróides a que pertenciam eram suficientemente grandes para permitir o acúmulo de calor radioativo. Dentro deles até pequenos diamantes foram encontrados, o que indica que a pressão do asteróide que deu origem ao meteorito era tão elevada que sua massa devia aproximar-se à de Marte, muitíssimo superior, portanto, ao tamanho do pequenino e veloz Mercúrio.

ALGUNS VIRGINIANOS FAMOSOS

Madre Teresa de Calcutá — 27 de agosto de 1910
Ronaldo (fenômeno) — 22 de setembro de 1976
Paulo Coelho — 24 de agosto de 1947
Glória Pires — 23 de agosto de 1963
Lavoisier, cientista — 26 de agosto de 1743
Johan Wolfgang Goethe — 28 de agosto de 1873
Ariosto — 8 de setembro de 1474
Quevedo, poeta espanhol — 17 de setembro de 1873
Antonin Dvorak, compositor — 8 de setembro de 1841
Elizabeth I da Inglaterra — 7 de setembro de 1533
H. George Wells — 21 de setembro de 1452
Duque de Caxias — 25 de agosto de 1803
Juscelino Kubitschek de Oliveira — 12 de setembro de 1902